Najat El Hachmi
La hija extranjera

Traducción de Rosa María Prats

DESTINO

Título original: *La filla estrangera*

© Najat El Hachmi, 2015
© de la traducción del catalán, Rosa Maria Prats
© Editorial Planeta, S. A., 2015, 2019
   Ediciones Destino, un sello editorial de Editorial Planeta, S. A.
   Avda. Diagonal, 662-664, 08034 Barcelona (España)
   www.edestino.es
   www.planetadelibros.com

Adaptación de la cubierta: Booket / Área Editorial Grupo Planeta
Fotografía de la cubierta: © Malgorzata Maj / Arcangel
Primera edición en Colección Booket: marzo de 2019

Depósito legal: B. 1.471-2019
ISBN: 978-84-233-5519-8
Impresión y encuadernación: Liberdúplex, S. L.
Printed in Spain - Impreso en España

Biografía

Najat El Hachmi nació en Beni Sidel, Marruecos, en 1979. A los ocho años se trasladó a Vic, ciudad donde se crio. Estudió Filología Árabe en la Universidad de Barcelona y ha sido mediadora cultural en Vic y técnica de acogida en Granollers. En 2004 publicó su primer libro, *Jo també sóc catalana*. Le siguieron *El último patriarca* (Premio Ramon Llull, Prix Ulysse y finalista del Prix Méditerranée étranger), traducida a diez idiomas, *La cazadora de cuerpos* y *La hija extranjera* (Premio Sant Joan de narrativa). Su última novela es *Madre de leche y miel*. Colabora habitualmente en *El Periódico de Catalunya*.

A Anaïs

No seré más para vosotros. Desde ahora seré para mí. Para mí o para quien quiera, pero no para ninguno de los que me queréis sesgada, escindida.

Esta madrugada ha escarchado. Mientras el rocío se iba helando sobre los campos perfumados de purines, yo me revolvía una y otra vez en mi cama, que no dejaba de chirriar. Esta ridícula cama de muelles mía, estrecha y corta, en mi siempre oscura habitación del casco antiguo. Mi madre debe de haberme escuchado; tiene muy fino el oído, tiene muy ligero el sueño. Pensaba en ella cada vez que me giraba, cada vez que rozaba las sábanas llenas de bolas. He tenido siempre la certeza de que, gracias a los sonidos que le llegaban desde mi alcoba, conocía todos mis movimientos, conocía exactamente todos los rumores de mi cuerpo; incluso cuando estoy completamente quieta, sabe cómo respiro, cómo me palpitan las entrañas. Desde la cama, aferrada a la almohada con los dedos tensos, me repetía, me recordaba a mí misma que no tenía que pensar en ella, que esta era la parte más difícil del día que empezaba, de la vida que empezaba, que, aunque me costara, debía hacerlo. Que si la convertía en parte de mis pensamientos, aunque fuera a hurtadillas, sería como mirar atrás para transformarme en estatua de sal. Notaba el aire enrarecido y húmedo, y si olfateaba un poco podía seguir el rastro de mi propio aliento, exhalado durante las horas previas, las emanaciones de mi propio cuerpo. Para entretenerme, trataba de averiguar la composición —en realidad, la descomposición— de lo que había salido de mí y era ya algo muerto. Llevada por el insomnio, me adentraba en una espiral de pensamientos evanescentes que me conducían de un lugar a otro, y a otro, y a otro. Y así hasta el infinito. Esta manera de funcionar que tiene mi cabeza, siempre dispersa, huidiza, a veces me reconforta. Me distrae, aligera las horas pesadas. Esta noche ha sido así a ratos, solo a ratos. Otras veces, las horas se me han hecho eternas, insoportables, de una claustrofobia asfixiante, y más de una vez he estado a punto de levantarme y huir en ese mismo instante. No puedo más, me decía palpando a ciegas la mesita de noche de fórmica. Una fórmica anticuada, fría y reluciente, que presenta un dibujo como de madera de árbol de verdad. ¿Dónde se ha visto un árbol gris? Siempre me he dicho que era una mesita pretenciosa, con esas patas oxidadas. La fórmica que no dibuja nada, lisa y artificial, tal como es, me parece más digna, más realista. Todo eso he pensado esta madrugada al poner los dedos sobre la superficie fría, y así he reprimido el impulso de salir corriendo en ese mismo instante. Tras la pared que me separaba de mi madre, ella acompasaba una respiración pesada, densa, y me tranquilizaba saber que dormía, que el mal trago que iba a pasar durante el día se le haría menos doloroso si había podido descansar. Quizá sea esta la última noche que pueda dormir tranquila, porque ya no vivirá más como ha vivido hasta ahora.

Cuando ha sonado el despertador, he hecho lo de siempre. Me he lavado la cara, he preparado la cafetera. Contemplaba la cocina consciente de que en un futuro me tranquilizaría recordar todos esos detalles, de que cuando haya pasado un cierto tiempo me preguntaré a mí misma: ¿Cómo eran las puertas de los armarios? ¿De qué material estaban hechos los tiradores? ¿Qué tonos tenían las baldosas del suelo? Lo he escrutado todo para retener el recuerdo de esa cocina angosta y alargada. De sus muebles amarillentos, de la encimera de conglomerado barato e hinchado cerca del fregadero. La nevera, unos palmos más allá, también amarilleada por el tiempo. Es el color de la cocina, el color de la casa, el color de mi vida aquí: un amarillo mortecino, sin alma ni pasión ni matices de ningún tipo, un amarillo insípido. Lo observaba todo y me sentía como la Eveline de *Dublineses*, solo que a mí no me maltrata nadie. He puesto al fuego la cafetera italiana de hierro colado, comprada en el mercado un día que Mumna la encontró de oferta y se la trajo a mi madre porque sabía que le hacía mucha falta. Durante un instante, he pensado que no la dejo tan sola como creo, que, aunque ella y yo vivamos solas, en realidad conoce a mucha gente que la aprecia y que se compadecerá de ella como ha hecho antes. He puesto a calentar la leche cuando he oído a mi madre haciendo sus abluciones en el baño. Me la he imaginado pasándose el agua por los brazos hasta los codos, con unos gestos tan repetidos desde pequeña que ya no parecen destreza sino algo suyo, innato, incrustado en ella misma. Cuando la leche ha empezado a subir la he retirado del fuego y he puesto el cazo con el agua para el pan. He dejado que se templara un poco mientras vertía en la artesa la misma cantidad de harina de siempre, a ojo, formando una montaña cuyas proporciones empiezo a dominar con la precisión que ella exige, o casi. Nunca haré un pan como el suyo, claro, pero ya no se queja tanto de mi falta de práctica. Hago un agujero en el centro del montoncito de harina, tiro en él la sal y la levadura que he desmenuzado con cierto deleite. El tacto fresco del fermento recién salido de la nevera y la forma en que se va aglutinando a medida que lo amaso me producen un extraño placer en las yemas de los dedos. Sé muy bien que, desde esta minúscula superficie de piel de mi cuerpo, las sensaciones se me van a alguna parte concreta del cerebro, que después las irradia por todos lados. Así soy yo, así funciono, pero no se lo voy a contar a nadie. Hallar placer en cosas que objetivamente no deberían provocarlo, multiplicar ese instante de placer de manera exponencial y exportarlo a cada uno de mis rincones, tiene que ser a la fuerza un hecho sospechoso, nada habitual. No sé si la gente también es así, pero no pienso arriesgarme a averiguarlo. Ese es el efecto que produce en mí la levadura y dejar caer el agua tibia dentro del agujero en la harina, empezar a deshacer el montículo, notar la masa que se va formando y se me adhiere a las palmas y a esa piel tan fina que une un dedo con otro, a cada pliegue que forman las manos; todo eso me arrastra súbitamente hacia dentro y hacia fuera. Lo que me ocurre en las manos se expande, al principio, por todos mis rincones, lo puedo percibir aunque no conozca sus nombres y no pueda imaginarme su anatomía, me estremezco entera por todas partes de un modo que nadie puede ver; y después parezco ser yo la que me expando por todas partes. Debe de ser lo que llaman comunión con el mundo, un éxtasis íntimo y secreto. Esconder esta sensualidad exagerada me ha costado siempre un esfuerzo enorme. Si pudiera, me cambiaría para sentir las cosas con menos intensidad. Cuando he amalgamado los ingredientes, enseguida he depositado la artesa de barro en el suelo para poder amasar con todo el cuerpo. Arrodillada y con los dedos de los pies bien anclados al suelo: no puedo imaginarme una acción más sensual. Pero no me la he inventado yo, así es como siempre he visto hacer el pan a mi madre. Y a todas las mujeres de allí abajo, independientemente de que tuvieran o no encimera en la cocina.

Cuando la cafetera ha empezado a sonar, me ha sobresaltado la voz de mi madre con su «buenos días» de costumbre. He tenido que volver deprisa, a una velocidad agotadora, de mi propio torbellino interno. Nosotras no nos damos besos de buenos días, no tenemos esa costumbre. Cuando la recuerdo allá abajo, en el pueblo, levantándose en casa de los abuelos y saludando a cada una de las mujeres con unos cuantos besos en la mejilla —o en la cabeza si era a la abuela, o en la mano si era al abuelo—, no puedo evitar exteriorizar la incomodidad que esas escenas me provocaban. Sobre todo porque las demás mujeres a mí también me besaban; pero entre nosotras… ella a mí o yo a ella, así de repente, sin razón de ser, nunca. Mi madre y yo no nos besamos nunca. Hoy tampoco, claro, hoy tampoco ha cambiado nada. Ha apagado el fuego y ha mezclado los dos líquidos calientes dentro de la tetera del café. *Tetera* no es la palabra, *cafetera* tampoco. Por unos instantes me he quedado colgada en esa traducción: ¿Cómo tendría que llamar a la tetera de café? *Zaghlasht, abarrad*, tan nítidamente diferentes en nuestra-su lengua, y yo no soy capaz de encontrar la correspondencia. De repente, este desajuste léxico, tan insignificante, tan banal, me ha hecho recordar cuán lejos estoy de ella, de su mundo, de su manera de ver y entender las cosas. Por más que traduzca, por más que intente verter las palabras de una lengua a otra, nunca lo conseguiré, siempre habrá diferencias. Pese a ello, traducir continúa siendo una distracción dulce, una forma tangible al menos, de desear llevar a cabo este acercamiento de nuestras realidades, que me ha sido útil desde que vinimos aquí. Pensaba en eso, por supuesto, para no pensar en ella, en mi madre, para no mirarla por última vez ni dejar entrever ninguna de mis intenciones, para que no se me notara que me estaba despidiendo. Me extraña que no adivine mis planes, ella que todo lo sabe, ella que sueña las enfermedades, las muertes y el sexo de los bebés que van a nacer.

La he mirado de reojo mientras echaba azúcar al café con leche. Aún no ha rezado, y tiene el rostro mojado y la cabeza destapada. He querido recordar su minúsculo rizo, todavía persistente a pesar de haberlo ido domando con el peine estrecho de carey y el aceite de oliva de toda la vida. Su raya en medio de la cabeza, que hace que el cabello le enmarque esa frente amplia y regia. Su frente de mujer rifeña, su cara de digna amaciga de la cabeza a los pies, una señora con todas las letras. Admirable y admirada siempre, por dentro y por fuera. Su integridad es conocida por todas las mujeres de la ciudad; por todas las marroquíes, claro. Al resto de mujeres no le importa la reputación de una inmigrante con pañuelo en la cabeza. Una reputación que atraviesa continentes, una fama que atraviesa continentes cuando alguna de esas cotillas habla de ello con la familia durante la llamada dominical. Siempre me he repetido esa imagen porque me parece graciosa: la voz de las mujeres de esos pueblos tan pequeños, con vidas tan pequeñas, atravesando continentes por los cables telefónicos. Tanta tecnología para acabar contando banalidades los domingos por la tarde.

No sé qué me contaba mientras desayunábamos, me esforzaba tanto en retenerla tal como es ahora para recordarla siempre que no he prestado atención a lo que me decía. Quería conservar la forma que tiene de coger los trocitos de pan con los tres primeros dedos haciendo pinza mientras apoya los otros dos en la superficie de la masa blanda del pan de sartén. No es sartén, ya lo sé, es *imsajja* o *imsajjar*, porque la erre final es muda. Pero da lo mismo, qué importa ahora una palabra tan doméstica.

Me ha costado tragarme los *irqqusen*, los trozos de pan con aceite, la garganta me hacía un daño insoportable, ese daño de cuando quieres llorar y te aguantas porque no es el momento. Se ha levantado para dejar que yo recogiera los platos y se ha desvanecido en la oscuridad del pasillo. He pensado: adiós, madre, gracias por todo, pero lo he pensado en esta lengua y no en la suya. Un pensamiento que de repente se me ha hecho falso. Hay pensamientos que solo he tenido o solo puedo recordar haber tenido en esta lengua que no es la suya.

Aún hacía fresco cuando he cogido la bajada de l'Eraime. Habría podido ir por la calle del Cloquer, flanquear el Museo Episcopal y seguir por la calle de la Ramada hasta la Rambla, desde allí subir por la calle Morgades dejando atrás Correos y los juzgados primero y después el mercado municipal hasta topar con Jacint Verdaguer. Pero he querido disfrutar de las calles estrechas y antiguas del casco viejo y he deambulado un poco oliendo este aroma antiguo, que es el mío desde hace muchos años. Por eso mismo detesto este olor. Lo he hecho mío, lo he asimilado hasta que ha llegado a formar parte de mí, aunque estas sean unas calles impasibles e indiferentes del todo a mi presencia, a nuestra presencia, tan nueva. Por un momento he estado a punto de girar a la derecha hacia la plaza Don Miquel de Clariana para echarle un vistazo al Palau Bojons, donde, hasta no hace demasiado, estaba la biblioteca, que ha sido mi refugio durante tantas y tantas horas. Pero no me ha entusiasmado la idea de ver las puertas cerradas y he girado hacia Corretgers. Me he detenido frente al convento de las Sacramentinas, las Adoratrices Perpetuas del Santísimo Sacramento, que me han intrigado toda la vida y me siguen pareciendo una incógnita. Bien, toda la vida, no, claro, al principio no tenía ni idea de lo que eran un convento o una monja y menos aún una monja de clausura. ¿Qué podía saber de una realidad tan exótica una niña de pelo rizado llegada del polvo de los campos norteafricanos? Durante años el edificio no significó nada para mí, era una más de entre las construcciones viejas de la ciudad, piedras sobre piedras que resistían el paso de los años. De lo que ocurría dentro solo conocía esa mano misteriosa que nos daba el pan de ángel desde detrás de la celosía de la portería; una mano y un brazo dentro de una manga rojiza nos alcanzaba las delgadas hojas llenas de agujeros de las hostias. Al principio no me pregunté nunca por qué aquella mano no salía de su escondite, qué había tras aquellas puertas tan bien cerradas. Pero en algún momento, no sé si en clase de religión o por algún comentario de alguien, supe de la existencia de ese tipo de monacato. Mujeres que permanecían dentro de una casa y no salían nunca o casi nunca de allí. Aún ahora me intriga, y nunca puedo pasar delante de las Sacramentinas sin que me entren ganas de meterme allí dentro para preguntarles mil cosas sobre cómo viven. Pero no lo he hecho nunca. Como ahora mismo, siempre me quedo plantada con los adoquines desnivelados bajo mis pies y miro el cartelito pequeño, sencillo, hecho con máquina de escribir: «PORTERÍA ABIERTA DE...»

En silencio, también me despido de ellas, de las desconocidas enclaustradas.

He pensado un buen rato en esta orden: en lo que leí cuando las descubrí, en su fundadora; y ese recuerdo me ha sacado de la cabeza a mi madre.

¿Y si ha salido antes de hora de casa y me encuentra aquí parada y me pide que le enseñe la bolsa y descubre que, a pesar de ser la misma que siempre he llevado al instituto, hoy no llevo libros en ella sino ropa para unos cuantos días, el cepillo de dientes, el pasaporte y el permiso de residencia, y la libreta de tapas duras en la que anoto las cosas que se me van ocurriendo? En esta breve fantasía, mi madre también me registra la cartera y descubre el billete de tren. Y monta una escenita en medio de la calle: un desmayo, un pedir explicaciones, un suplicar que no me vaya.

Pero no ha pasado nada de eso.

He seguido hasta la plaza Mayor y la he atravesado hasta Verdaguer. He mirado un momento la explanada de arena vacía y he recordado, brevemente, mi ordenado deambular entre las paradas del mercado casi cada sábado del mundo. Cada sábado durante el curso, cada martes y sábado en vacaciones. El griterío bullicioso de los vendedores, los colores cambiantes de la ropa que ofrecen, el caos general. De ahí mi manía de recorrer el mercado en un orden preciso, trazando eses a lo largo de los pasillos para no dejarme nunca nada. Pero ya estoy por debajo de Jacint Verdaguer y no puedo evitar un resentimiento de pobre al pasar delante de las casas de los ricos, o de los que lo parecen si se los compara con nuestra limitada economía. Resentimiento y fascinación por unas vidas tan diferentes de la mía, las de mis compañeros de instituto, los que llevan vaqueros de marca, peinados de peluquería que cambian al ritmo de la moda; los que van a esquiar en invierno, de viaje en verano y a quienes sus padres les pagan las salidas de fin de semana y el carné del coche, y que lo único que deben hacer es estudiar. ¿De qué te extrañas? Esa es la vida normal, es la tuya la que no encaja, tú eres la intrusa. Tú, que tienes una madre que limpia en sus casas, y aún gracias que alguien la pudo aceptar en su casa a pesar de la raya en medio, la frente regia de rifeña y el pañuelo en la cabeza. Suficientemente generosos han sido con vosotros, suficientemente acogedores. No tienes ningún motivo para quejarte, como hablas su lengua igual o mejor que ellos casi ni recuerdan de dónde eres o quién eres. Casi.

Les he dicho adiós a todos al llegar a la plaza de la estación y entrar en el edificio de paredes de color salmón desteñido con las letras rojas con el nombre de la estación.

He esperado en el andén con el corazón palpitante. El olor de purines me ha llegado de repente a la nariz y ya no me ha abandonado. He pensado que quizá fuera una venganza de esta ciudad, lo de llenarme la nariz de ese nausebundo olor tan característico y que ya no pueda marcharme nunca; aunque mi vida lejos de aquí sea muy diferente, aunque sea otra, nunca me sacaré este tufo penetrante de encima. Pero he visto una cabeza rizada que se escurría por la puerta y he empezado a preocuparme por si alguien me veía. Algún marroquí, claro, uno de esos que me conocen y siempre saben qué hago, que me observan para después contarse los unos a los otros que me han visto en tal sitio o tal otro, y se lo dicen a sus mujeres y sus mujeres se lo cuentan, hasta que una llega a nuestra casa y saca el tema mientras habla con mi madre como si no le diera mayor importancia: no hay chica más tranquila que la tuya, nunca la vemos haciendo ningún disparate, no habla con nadie. Con «nadie» quieren decir que no hablo con ningún hombre, que, por más que me digan cosas por la calle, por más que me sigan, yo no les hago nunca caso. Mi reputación es impecable. Mi reputación es la de mi madre.

Me he imaginado a uno de esos rizados con bigote viéndome esperar el tren, y también cómo este hecho llegaba a oídos de mi madre. Pero para entonces eso ya no importará nada, entonces yo ya estaré muy lejos y me darán igual los cotillas y la buena consideración que puedan tener de mí los marroquíes. O quien sea. Entonces, ya seré otra en un lugar donde no le importaré a nadie. Y seré feliz.

No me hace falta releer *El miedo a la libertad,* no me hace falta analizar mi conducta.

He sido capaz de subir al tren, temblorosa, y agarrarme con fuerza a este asiento y a su suciedad centenaria. He aguantado el olor a cerrado del vagón durante todo el largo trayecto, y me imaginaba que era Laura dejando atrás la ciudad cerrada; me decía que ya estaba, que la Plana quedaba atrás. Si el tren hubiese ido más rápido, si no hubiera ralentizado el paso al cruzar el puente y yo no me hubiese visto en el fondo del valle lleno de árboles, despeñada, quizá no habría vuelto atrás. Pero allí mismo, sobre el puente por el que no pueden pasar dos trenes a la vez, la cabeza se me hundió en una de esas espirales irrefenables que me atosigan de vez en cuando. Un pensamiento, uno solo, que se repite y se repite y se repite como un martilleo incesante, y en cada repetición se añade un elemento que lo hace más terrible. Las espirales me paralizan, pero a la vez me conducen hacia el precipicio. El hecho de que vea su recorrido, de que sea perfectamente consciente de cómo funcionan y las pueda mirar como desde fuera no quiere decir que pueda controlarlas. Al contrario, eso las vuelve aún más angustiosas. En este caso, justo encima del puente me asedió la estúpida idea de que, al planificar la huida de casa, de casa de mi madre, había cometido un gran error, un error imperdonable: había puesto en el pan la misma levadura de siempre, no había reducido la cantidad teniendo en cuenta que no volvería jamás a casa. Cuando tenemos que estar más horas fuera, ponemos menos para que la masa fermente más despacio, pero esta mañana yo había hecho como siempre, como si tuviera que volver a casa a mediodía. En esta espiral, me iba culpando de ese descuido, un descuido estúpido que haría que mi madre, al llegar a media tarde de trabajar, se encontrase con que la masa se había salido de la artesa. Con cada bucle de pensamientos, una idea me iba golpeando con mayor intensidad: si tuviera que explicar en esta lengua en la que pienso todo el proceso de hacer el pan, no sabría, me fallarían la palabras, porque, cuando lo hago, la descripción se me llena de palabras de la lengua de mi madre que nadie más puede entender. Solo con alguien que fuese como yo, alguien que también tuviera una madre como la mía y hubiese aprendido esta lengua que nos es extranjera y la hubiera interiorizado, como yo, hasta el punto de que se hubiera convertido en la lengua principal de sus pensamientos, solo con alguien así podría hablar como yo me hablo a veces, mezclando las dos lenguas. Y, aunque hacía años que sabía hablar con los habitantes del lugar sin problemas, vi de repente que en la ciudad donde iba a vivir, donde quería ser yo sin tener que explicarme quién era, muy probablemente nadie me entendería. Solo por eso, por ese discurso interior tan absurdo que no contrasté con nadie, decidí bajar del tren y cambiar de andén para esperar el siguiente. Para volver a casa, me decía, que en la lengua de mi madre también quiere decir morirte.

Si pensaba en A, me entraba enseguida un dolor sordo en el pecho, un peso sobre la caja torácica, un peso que me hacía sentir que menguaba, que me hacía más pequeña cada vez. Pensaba a menudo en él solo para hacerme daño, para frenar esas ganas de hacer lo que me pasara por la cabeza, lo que me apeteciera. Yo me había abierto completamente, me había revelado ante él. En una sola imagen, era como si hubiera tenido siempre la piel completamente cerrada mediante una línea imaginaria, en medio del cuerpo, que me atravesara desde la frente a la vagina sin interrumpirse nunca; una línea de color marrón castaño, nítida y trémula que, como el río que hay cerca de casa de los abuelos, emergiera en determinados puntos, desde el ombligo al bajo vientre por ejemplo, para que yo la pudiera recorrer. Es la misma línea que nuestras mujeres (¿las nuestras? ¿Ahora hablas como ellas, como si fueras una de ellas?) se tatuaban en medio de la frente, en medio de la barbilla hasta debajo del cuello, las más atrevidas hasta el comienzo de los pechos. Se tatuaban cuando eran unas musulmanas felices y analfabetas que se habían apropiado de la religión de Mahoma y la habían transformado en algo suyo, en una amalgama de rituales paganos y musulmanes. Ahora no se tatúan porque los expertos que salen en televisión les han dicho que era una práctica pecaminosa, prohibida, *haram*. Y no solo no se tatúan los últimos vestigios de la letra de una lengua que hace siglos que solo se escribe sobre su piel, sino que algunas se han sometido a dolorosos procesos para borrarse los dibujos que se hicieron cuando eran jóvenes. Mi madre nunca se ha tatuado, yo aún menos, pero esa línea que imagino la veo muy claramente, y me recorre de arriba abajo. Como una cicatriz que no sé cuándo se cerró sobre mí para hacerme tal como soy, con muchas cosas dentro que solo salen en circunstancias excepcionales. Intuyo que en algún momento, hace muchos años, era al contrario, y esta piel me acompañaba, me protegía, me envolvía y era agradable, me daba fuerza y empuje para dirigirme hacia el mundo como si fuera todo para mí, como si pudiera abarcarlo entero. En algún momento que no he podido recordar nunca, esta piel me enclaustró para protegerme.

Solo una vez, solo una, he sentido que me la abría por el punto preciso y me la arrancaba: fue para enseñarle a A todo lo que escondía. Toma, mira, esto es lo que tengo, lo que soy, lo que querría ser, lo que me asusta, lo que me hace feliz, lo que lloro y lo que añoro y lo que deseo. Todo está aquí dentro, tal como lo ves. Y él, que me quería, no me quiso así, con aquella intensidad insoportable, y yo, como si nada, volví a cerrarme la piel. Lo único que me quedó de aquello fue una imagen diferente de mi cuerpo que, además de la cicatriz que lo atravesaba, ya no supe ver nunca más sin esa herida profunda en medio de la cabeza. A veces, aún me toco por si la encuentro, inundada de sangre espesa. Por supuesto, A no ha sabido nunca nada de eso, y la última vez que nos vimos nos despedimos como siempre después de pasarnos horas hablando de poesía trovadoresca. A y yo somos expertos en amor; en el teórico, claro. Bueno, yo soy la teórica, él tiene su vida aparte, una vida feliz y bien ordenada de la que no hablamos nunca.

Cuando quería hacerme daño, me provocaba de nuevo esos pensamientos. No lo hacía para sentir lástima de mí misma, sino para manifestar ese dolor que me servía como castigo por lo que había hecho y por lo que no había hecho.

Me quedaba muy quieta frente al espejo y pensaba en eso para justificar mi pasividad ante lo que sucedía a mi alrededor, para justificar cómo escuchaba lo que se decidía por mí y yo me lo tomaba como si no fuera conmigo. Nunca serás valiente, me decía encerrada en el lavabo, porque él no te quiso, y el espejo me devolvía el rostro de una desconocida hambrienta, con los pómulos marcados en las mejillas y los labios más oscuros. Me peinaba el pelo, liso por fin. Dominado por fin. Si alguien me hubiera conocido entonces no habría sabido nunca que yo tenía el pelo rizado, voluminoso, y que ese pelo me enmarcaba el rostro como una hoguera. Ahora no, ahora, después de los tratamientos químicos, de los suavizantes, la crema, las secadoras y las planchas, por fin tenía el pelo lacio, sin problemas. Dulce y dócil. Tal como lo había soñado siempre mi madre para mí y como yo creía también haberlo soñado, nuestro ideal conjunto, nuestra lucha común contra aquella inherencia rizada.

Dejé de mirarme, me senté de nuevo en la taza del váter, y cogí el libro *Así habló Zaratustra*. Me reí de mí misma, una lectura muy adecuada la tuya, me dije. Tu situación es de titular: una chica marroquí (?) lee a Nietzsche encerrada en el baño y no hace absolutamente nada para decidir sobre su propia vida.

Dejo el libro, que siempre me produce la impresión de ser la obra de un loco, un delirio particular y patológico, más que un modo plausible de entender la naturaleza humana, y recorro otra vez la línea que me atraviesa el cuerpo. Siempre me la toco desde la barbilla y voy bajando, así que la mayoría de las veces acabo provocándome un orgasmo. Hoy también me tentaría esa idea, si no fuese porque hay invitadas en la sala.

Oímos el timbre hacia las cuatro y media, y mi madre saltó de la cama como un resorte. Su siesta es sagrada. Pase lo que pase, sean buenos tiempos o tiempos de tragedia, haga frío o calor, tengamos toda la *baraka* del mundo o una vida miserable. Esté contenta o triste, cansada o exultante, mi madre, un rato después de comer, tras haberse lavado para la oración del mediodía, después de recoger un poco la cocina y haberme mandado a mí continuar con las tareas, se iba a su cama, se tumbaba de medio lado con las rodillas dobladas y ponía la mano que le aguantaba la cabeza bajo la almohada. Entornaba los ojos y enseguida le venía el sueño, y la respiración se le volvía de una cadencia pausada, pacífica.

Cuando sonó el timbre, me la imaginé saltando y haciendo el primer gesto, el más importante de todos, el de llevarse las manos a la cabeza para ver adónde había ido a parar el pañuelo en el trascurso del descontrol que suponía aquel rato de sueño. Diestra, veloz, se habría deshecho a toda prisa el nudo de la nuca y se habría vuelto a colocar el trozo de tela sobre el pelo, dejando solo al descubierto un par de dedos como recordatorio de su preciada joya corporal.

Antes de abrir ya me había dicho que pusiera agua a hervir y yo, que estaba tumbada sobre los *mtarbaz* del comedor, absorta en la lectura de *Ramona, adiós,* buscaba con los pies las zapatillas de casa, porque, cuando me recostaba sobre los asientos de espuma caliente, sufrían la extraña inercia de volverse la una hacia un lado y la otra hacia el contrario. Yo no me buscaba el pañuelo, ese gesto nunca sería mío. Colocaba los grandes cojines, con sus estampados de formas aterciopeladas, tan marroquíes como los dibujos de los platos chinos, ordenados contra la pared.

Llené el hervidor del agua y cogí la menta para elegirla rama a rama; coloqué las ramitas en la mano formando un ramo, despuntando los tallos del principio, que se habían ennegrecido por donde los habían cortado; también puse ese ramo perfecto bajo el grifo y después lo sacudí para quitarle el agua agitándolo con fuerza sobre el fregadero. Desde la cocina oía a las señoras parloteando con una letanía antigua que se repetía siempre que se encontraban. Cogerse de la mano, sostenerla bajo la barbilla mientras se besaban. Un beso en una mejilla y después otro en la otra, otro y otro y todos los que sean. El rebote de besos de nuestras mujeres, besos infinitos si hacía mucho tiempo que no se veían, acortados cuando la relación era más habitual, pero siempre repitiéndose, mejillas repicando, labios estallando contra mejillas o en el aire mientras, con cada movimiento, repetían una fórmula que, sin saberse cómo, alternaban las dos besadoras sin interrumpirse la una a la otra pero, a la vez, sin dejarse ni un minúsculo espacio de silencio: ¿Cómo está? *Labas? Mlih?* ¿Cómo está la familia? ¿Qué tal la salud? Y un largo etcétera. De hecho, todo son preguntas porque, al final, una única respuesta sirve para resumir todas las respuestas: gracias a Dios. *Lhamdu li-L-lah.* Todo está bien porque todo es voluntad de Dios. Pues entonces, ¿para qué perdéis el tiempo preguntándoos las cosas? ¿Para qué tanta letanía vacía y sin finalidad?

En ese sentido, yo he sido siempre una saludadora nefasta. No doy la réplica, cojo a la señora de la mano, doy los mínimos besos que me permita su enérgico vaivén y a duras penas pregunto cómo está. Lo peor de todo es que soy incapaz de decir gracias a Dios, ¿gracias de qué? ¿Quién es Dios? ¿Dónde está? ¿Cómo sabéis que existe? ¿No veis que todo eso es un gran invento de las personas que desde hace siglos intentan: 1) encontrar un sentido a su existencia, y 2) dominaros a vosotras, pobres ilusas analfabetas, y dominar a todo el que tenga una pizca de miedo a la vida, vamos, a todo el mundo? Pero, claro, no digo nada de todo esto a esas mujeres envueltas en telas que siempre acaban encontrando en sus relatos una lección moral, una razón más para temer a Dios o para temer a algo, sea lo que sea. Me conformo con haber erradicado desde hace algún tiempo todas las expresiones de nuestra-su lengua que remiten a ese ser superior y supremo desconocido para mí. No digo *bi ismi Al-lah,* en nombre de Dios, al empezar a comer, ni *Incha'Al-lah* para desear que algo suceda, ni *Istagfiru Al-lah* cuando alguien estornuda, ni aún menos cualquier expresión para desear que Dios te conceda esto o aquello, o que Dios te proteja. Por eso la riqueza de mi lengua se ha visto súbitamente reducida desde que he dejado de creer en Dios. Ahora me doy cuenta de que puedo decir cualquier cosa con la mitad de palabras. Pienso en todo esto mientras mi madre y yo saludamos a las señoras, cogemos las chilabas que se quitan al entrar y las acompañamos al comedor. Adiós a *Ramona, adiós*, aquí Montserrat Roig, aquí las mujeres de mi pueblo. Las presento secretamente y me río mientras cierro el libro y observo a las mujeres parlotear como gallinas. Me recuerdo a mí misma que me gusta escucharlas, que no poder hablar con ellas de según qué temas, no poder discutir de según qué, no poder plantear ninguna cuestión que para mí sea realmente apasionante o trascendental no es un obstáculo en sí porque así ha sido toda la vida, así es como he aprendido a ser con ellas desde siempre. Nada de mezclar mundos, a cada uno la conversación que le toca y así todos felices. Sí, me gusta que hablen y escucharlas sin implicarme, como si leyera un libro, que ya está escrito y en el que no puedes intervenir para cambiar nada. Me gusta cómo se van apaciguando, cómo van perdiendo la excitación inicial, cómo se les va ralentizando la respiración, que traían acelerada desde la calle. *Iwa? Iwa.* Estos *iwas* se repiten para irse acomodando, para pasar a formar todas, las anfitrionas y las bienvenidas, un único cuadro. Aquí estamos, responde una, *Lhamdu li-L-lah*, interviene la segunda. Ya empezamos, pienso yo, y me voy a la cocina a hacer lo que corresponde, a preparar la bandeja con los vasos pequeños («*ahlan wa sahlan*», pone), la tetera (ahora sí que es la palabra exacta, una tetera bien llena de té, sin equívocos de ningún tipo), las pastas en un platito y las almendras (no vulgares cacahuetes como cuando éramos pobres y nos teníamos que conformar con ese fruto seco de segunda).

Ven, ven. Ven a sentarte, mujer, que por nosotras no hace falta nada, por Dios te lo digo, que no tienes que hacer nada. Acabamos de comer. Mi madre les dice que solo es una tetera, que no les hará ningún daño y les ayudará a reponerse del camino. Pero ellas me llaman de nuevo e insisten en que me siente, que no me tome tantas molestias.

Me siento cuando ya he dejado la bandeja encima de la mesa (también de fórmica, pero esta de fórmica marroquí traída en una furgoneta destartalada por uno de esos trasportistas que van y vienen del pueblo). Ellas hablan, cuentan que han pasado por casa de no sé quién, de alguien que, como siempre, yo no sé quién es ni me interesa saberlo, otra mujer como ellas, y que la han visitado porque se le había muerto el suegro, allí abajo, claro, y la visita de pésame es obligada. Que, como al casarse se habían ido a vivir a un pisito en la ciudad, ella, al padre de su marido, no lo conocía demasiado. Sabía de su carácter severo y distante, pero no tenía demasiada relación con él. Únicamente al principio, porque les había criticado bastante que dejasen la casa familiar, el *campu*, donde ya habían construido las habitaciones para cada hijo, y se hubieran ido a vivir solos. ¿Dónde se ha visto eso? Después, como el hijo emigró y ella no podía quedarse sola en la ciudad, que una mujer sola siempre da que hablar, en vez de irse a vivir con los suegros se volvió con su propia familia, que también era de ciudad. Mi madre intervenía para dar su pertinente opinión: la vida en el campo es aburrida y dura, sobre todo para las que no están acostumbradas. Para las mujeres de ciudad siempre ha sido muy difícil, y más en aquellos tiempos, sin electricidad ni nada. Sí, responde una de las señoras, sin electricidad, y lavándonos con agua del río, llena de meados de sapo. Así es como rompen a reír. ¿Tú crees? Claro que sí, mujer, tú porque ahora no lo recuerdas y cuando estabas allí no te enterabas porque no veías ninguna otra vida posible, pero ahora, mirado desde aquí... Ahora ya comenzamos a rememorar, cada una desde donde más le apetece, aquellos tiempos, los tiempos remotos de la infancia y la juventud; cada una inicia el recuerdo desde un punto determinado, pero nunca gratuito, porque muy a menudo esconde un dolor íntimo ya cicatrizado. Mientras hablan pienso en la charla apresurada de Mundeta y lamento constatar que nadie reproducirá nunca la charla apresurada de estas señoras en ningún libro, por el simple hecho de que utilizan una lengua que es del todo ajena al papel y se trasmite por el aire sin dejar rastro alguno.

Me voy de allí con un oído puesto en esa conversación, que me sirve de sonido ambiente; sé que lo registro todo sin querer y que cuando necesite algo de lo que acaban de decir lo sabré rescatar de la memoria como si les hubiera prestado atención. Así he funcionado siempre, y por eso soy capaz de recordar conversaciones muy concretas que se produjeron a mi alrededor cuando a duras penas entendía lo que se decía. Ahora entiendo el parloteo de esas gallinas cluecas, pero la escena me resulta estrecha, limitada; sus recuerdos, sus detalladas descripciones de la vida rural me complacen, pero se me quedan pequeñas, y consigo evadirme a medias para permanecer aquí sin sentirme encerrada. Hasta que... hasta que una de ellas vuelve al presente y me pregunta por el «tema», que de hecho debe de ser lo que las ha llevado a hacernos la visita. Enhorabuena, chica, menuda sorpresa. No nos hubiéramos imaginado nunca que serías la primera, ya dábamos por sentado que tú seguirías estudiando. Me apresuro a contestar como si me lo creyera: Seguiré estudiando, pero más adelante.

Y mi madre, que no puede disimular la alegría: lo hemos acordado así con mi hermano, le he dicho que mi hija es muy inteligente y ha llevado siempre muy bien los estudios. No hay nada malo en estar casada y estudiar, me ha dicho él. Por supuesto que no, se ha apresurado a añadir una de ellas, estudiar o trabajar no es el problema, el problema es si la mujer se comporta como es debido o no. La que es una *faq shger*, una «partidora de tareas» lo es dentro y fuera de casa, y, si algo es tu hija, es tranquila y discreta.

Mi madre no quiere dejarle el protagonismo a la invitada y se apresura a detallar la información referente a mi compromiso. Yo la escucho como si hablara de otra, aunque el corazón me late tan fuerte que me parece que todas deben de oírlo. Poco a poco voy perdiendo partes de su discurso: no sé qué no sé cuánto, ya tendrá tiempo de estudiar, bla bla bla, no es bueno que las chicas se casen demasiado mayores y ella cumplirá pronto diecinueve, que si esto que si lo otro, mi sobrino es un ejemplo de persona, tralarí tralará, que si celebraremos la ceremonia y el acto del casamiento para hacer los papeles… Cuando ya solo oigo palabras sueltas, me levanto de golpe y me voy al lavabo, me encierro y cojo el libro. Pero no me sirve de nada. A lo mejor si me hago un orgasmo me oirán.

Mirándome al espejo me digo: no es tan grave, no es para tanto. No es una boda de conveniencia porque te lo han preguntado y has dicho que sí, que por qué no. En realidad te lo preguntan desde que eras una niña: le caías tan bien al hermano de tu madre, que desde que eras muy pequeña decidió que serías para su Driss, un chico que entonces ya debía de acercarse a la veintena. A ti Driss no te caía mal, lo encontrabas simpático, ¡lo conocías! ¿Qué más quieres? ¿Cuántas mujeres de tu pueblo han tenido ese privilegio, casarse con un hombre al que conocían? Sus padres siempre te han tratado como una princesa, te regalaron un anillo de oro cuando naciste. Además, ¿cuántos matrimonios de conveniencia han acabado siendo de amor? ¿Acaso no puede surgir ese sentimiento tan sobrevalorado de la convivencia conveniente? No importa que leas a Nietzsche o a Fromm. ¿El arte de amar? Ya lo practicarás cuando te cases, cuando estés tranquila, sin toda esta gente que, desde hace tanto tiempo, se preocupa por ti, por tu reputación, la de tu madre sola contigo, la de tu virginidad y tu honor. Una vez casada te dejarán tranquila y ya podrás hacer lo que quieras. Trabajar, estudiar, lo que quieras. Ya no tendrás que demostrar nada. Me digo todo esto mirándome al espejo, viendo que la piel empieza a pegárseme al hueso de la mejilla, prominente, no tan regio como el de mi madre. Todo eso no tiene nada que ver con la herida, ni con la que te atraviesa el cuerpo ni con la de A en la cabeza. Soy yo la que decide, él no tiene nada que ver. Me miro a los ojos y me insisto: cásate y serás libre. Cásate y tu madre será libre.

He cambiado de ciudad, de país, de continente. He cambiado las calles de adoquines del casco antiguo de una ciudad antigua por estos campos polvorientos que parecen no tener edad. Me miro al espejo y resulta que soy la misma, que a pesar de haber hecho kilómetros y kilómetros en coche (un coche compartido con una familia, repleto de bultos de todo tipo, cubierto hasta límites impensables), de haber pasado una noche entera en un *ferry*, de haber atravesado dos fronteras con un espacio de tierra de nadie en medio, de haber hecho algún kilómetro más hasta la casa de adobe ahora moderna, después de haber saludado efusivamente a familiares de todo tipo, a vecinas que ya ni recuerdo que lo fueran, de haber pasado a hablar solo la lengua de mi madre, no he cambiado en nada, soy la misma persona. El pañuelo que me he puesto en la cabeza y la *qandura* son tan accesorios que no quieren decir nada, solo me los pongo para no ser un estorbo, para no incomodar. Pues claro que nuestra familia sabe que nosotros allí, en el extranjero, vestimos como las *zirumiin*, las cristianas, pero, aun así, esperan que nos readaptemos al lugar, sobre todo si se trata de una chica como yo que ha venido a prometerse en matrimonio. Que se note que ya me voy haciendo a la idea de cómo tiene que ser mi nueva vida de esposa ejemplar, que no digan que por vivir entre cristianos soy una «partidora de tareas», que no quepa duda de que mi comportamiento es el adecuado, el que debe ser. Lo espera todo el mundo y estas semanas de vacaciones serán semanas de disimular, de ser discreta y prudente, de recordar todas las normas que debe seguir una buena chica. De demostrar que mi madre, aun sola y en el extranjero, no ha consentido que me pierda, que me salga del camino. Yo me miro en este espejo pequeño, enmarcado con madera pintada de un rojo oscuro, decorado con flores pequeñas, este espejo colgado unos palmos por encima del zócalo azul, inclinado hacia delante, y no sé ver en él a alguien que no sea yo misma, la que lee a filósofos alemanes y novelas y piensa en una lengua que los que ahora me rodean ni han oído ni oirán nunca.

Añoro tonterías como los grifos, abrirlos y dejar correr el agua, aunque encuentro cierto gusto en revivir una vida que una vez fue la mía, una vida que, cuando nos marchamos, siguió su camino sin nosotras. Esta casa la han modernizado: han sustituido los suelos de adobe de las habitaciones por baldosas, y son agradables de pisar con los pies descalzos. ¿Qué haces, loca? Eso es lo que me dice mi prima cuando ve que dejo las chancletas de plástico y pongo los pies en el poco trozo de suelo que no han cubierto con las alfombras, que también son de plástico. Cogerás frío en el vientre, no vayas descalza. ¿Cómo le explico yo a esta chica crecida aquí, que no ha ido a la escuela, que pastorea cabras y lava la ropa en el río, que a mí me gusta sentir la superficie fría bajo las plantas de los pies, que eso me provoca un placer extraño que se me extiende por todo el cuerpo como tantos otros placeres? ¿Placer? Ni siquiera sé decir esa palabra en la lengua de mi madre. Ni siquiera sé si existe en la lengua de mi madre. Ni placer, ni deleite, ni éxtasis, ni nada. Y aún menos orgasmo. ¿Cómo puedo hacer que entienda el placer que siento por esas cosas extrañas y poco usuales? Por cosas pequeñas, cosas que pasan totalmente desapercibidas para el resto de la gente, que temo que un día me desborden del todo, que me hagan salir de mí misma, pero no de rabia sino de puro placer. Así soy, esto es lo que soy. Me siento, de repente, huérfana de palabras, expulsada de la lengua. Al mirarme al espejo me veo lejos de aquí, yo sigo siendo la misma y por eso no me adapto, no me integro en la vida cotidiana del lugar por mucha *qandura* y muchos pañuelos que me ponga. Y, en cambio, esta familia es la mía y me quieren y me tratan como la más importante de sus invitadas. Vienen a vernos, a mi madre y a mí, de lugares remotos que no sabría ni situar en el mapa; no he aprendido la geografía de aquí, y cuando me hablan de ciudades y pueblos solo me hago una idea abstracta, algo parecido a lo que les pasa a esas mujeres que no leen ni escriben y que, menos aún pueden hacerse imágenes mentales de una representación a escala de «su tierra». ¿Cómo debe de ser pensar sin geografía?

Han cubierto el patio de cemento, es más limpio, más cómodo para poner las palanganas en un rincón y lavar los platos, o simplemente para limpiarlo. Es la moda en las casas de antes, las que aún tienen un patio central alrededor del que se disponen las habitaciones y la cocina. Nosotros no hemos prosperado tanto como para construirnos una de esas torres horrorosas pintadas de amarillo que se alzan aquí y allá, las casas de los que han emigrado a países ricos de verdad, de los de los Pirineos para arriba, y no como nosotros, que hemos ido a parar a un lugar donde hasta hace cuatro días todavía se pasaba hambre. A mí me gustaba más el suelo de barro y polvo, y me gustaba la madriguera de la coneja que había debajo del depósito de cereales, pero la han tapado porque los de la casa ya no crían conejos. También añoro la luz tenue de los candiles encendidos después de la puesta de sol, y ver cómo se movía esa luz cuando los llevaban de un lado a otro de la casa. Pero da lo mismo lo que yo añore; yo, que me marché de aquí hace mucho tiempo, no tengo ya derecho a añorar nada. No soy de aquí y vivo en un piso confortable de Occidente repleto de comodidades, como la lavadora o la fregona. Cuando le digo a mi prima, convertida estos días en mi confidente, que me gustan más las casas tradicionales que estas nuevas, se ríe con ganas y me dice que si viviera siempre aquí no lo vería de la misma forma. De repente me avergüenzo de mi vida privilegiada, de mis problemas abstractos y sin importancia.

Se han ido todos a la ciudad, mi madre incluida, y nos han dejado a mi prima y a mí al cuidado de los niños. Unos niños flacos y espabilados que hacen preguntas que no me espero. Les tenemos que preparar la cena y, desde que mi madre me lo ha dicho, estoy que tiemblo. Tengo la edad en que las chicas de aquí ya estarían casadas con hijos y prepararían la comida y la cena, limpiarían, lavarían la ropa y cumplirían con su rutina diaria de tareas de la casa sin delegarla en nadie más. Mi madre siempre ha querido que estuviera preparada para eso, que me preparase para ser ama de casa y, desde que era pequeña, me ha repetido la misma frase: «Yo a tu edad...». El objetivo de esa educación ha sido siempre el mismo: que cuando me case, cuando esté en casa «de otros», no puedan tener nunca ni una sola queja de mí, que no puedan decir que no soy lo bastante mujer, que soy una malcriada. Si mis futuros suegros hablan bien de mí será como si hablasen bien de ella. Nunca le he dicho nada cuando suelta ese discursito, pero estos ya no son sus tiempos, ya no valgo solo para las tareas que sé hacer ni he pensado nunca en irme a vivir con mis suegros como han hecho nuestras madres y nuestras abuelas, mi vida será distinta. Y ahora que sabemos que mis suegros son su hermano y su mujer, conocidos de toda la vida, ya no hay que preocuparse por si dicen que me han educado bien o no. De hecho, cuando mi madre hablaba de prepararme para el mañana, de qué dirán cuando tengas que cocinar y los libros no te sirvan de nada, yo siempre pensaba que esa no era ni sería nunca mi vida, que yo no me casaría ni tendría hijos ni haría de esposa, ni buena ni mala, que no sería esposa de nadie y punto. En alguna de las tertulias que hacía en casa con otras mujeres, donde se explicaban unas a otras con detalle los malos ejemplos de «esposas fracasadas» y cómo estas habían avergonzado a sus familias, *rfdihez, aiaw a rfdihez,* mi madre aprovechaba para exponer mi caso y someterlo al juicio de esas señoras. Todo el día entre libros, no sé que saca de tanto leer, más de uno se ha vuelto loco por leer demasiado. Y yo le digo, ¿qué harás el día que tu marido te pida la comida? ¿Buscarás en un libro cómo se prepara? Entonces todas reían, ellas que no saben leer ni escribir, felices porque su analfabetismo las hacía perfectas para el papel que se les había asignado, incapaces de plantearse que este podía ser otro. Yo, al principio, cuando aún no tenía ni la regla, me avergonzaba la idea misma del matrimonio, del marido, de lo que podía llegar a pasar cada noche, a oscuras, entre un hombre y una mujer casados, y, para ahuyentar esos pensamientos turbadores para los que no estaba preparada, intentaba trasmitir mi indignación: yo no me casaré nunca, ¿me oís?, no pienso casarme ni loca. Se reían, claro, porque esa idea era tan absurda que ni se podía plantear. ¿Qué quieres decir con que no te casarás? Todo el mundo se casa. No es verdad, no todo el mundo se casa y yo no pienso hacerlo. Vosotras os pasáis la vida hablando de vuestros maridos, de los hombres en general, y no salváis a ninguno, a ninguno. Les escondéis cosas porque no se puede confiar en ellos, porque son el enemigo, porque os pueden reñir, o castigar, o dar una buena paliza, os pasáis la vida explicando lo malos que son los hombres, ¿y queréis que me case? Mi madre me mandaba callar enseguida, desvergonzada, desvergonzada. Al contrario, pensaba, la vergüenza la paso con esta filosofía de vida vuestra.

Así pues, yo no tenía ningún interés en convertirme en una mujer como es debido, pero de un tiempo a esta parte he empezado a hacer algunas de las tareas que me manda mi madre. Sé cocinar, aunque a menudo me dice que mi estofado tiene pinta de vómito de perro, sé hacer pan, aunque a menudo me despisto con los tiempos de fermentación y coge ese regusto agrio o no es lo bastante esponjoso. Pero aquí, en el pueblo, es como si estuviera a prueba, y no puedo evitar ponerme nerviosa cuando tengo que hacer cualquier cosa. Quiero gustarles, quiero que piensen que me han educado bien, que se asombren de mi destreza, aunque sé que no puedo competir ni con chicas más pequeñas, como mi prima, niñas de diez u once años que no han hecho nada más aparte de encargarse de las labores de casa. Por eso, ahora me angustia la idea de hacer la cena para los niños, para esos niños hambrientos que ya están pidiendo la cena, que se ponen más nerviosos conforme se acerca la hora. Haced patatas fritas y ya está, ha dicho mi madre. He hecho patatas fritas muchas veces, pero al coger el cuchillo noto cómo me tiembla la mano. Temo no pelarlas lo bastante finas, recuerdo, no hace mucho, a una de mis tías regañándome a gritos por quitar demasiada piel y desperdiciar la comida. Temo que al cortarlas no salgan lo bastante igualadas, que unas tiras me queden más gruesas que otras y al freírlas no se cuezan bien. He hecho patatas fritas antes, muchas veces, pero ahora es como si no las hubiera hecho nunca. Mi prima me observa. Es mi confidente, aunque también es cotilla y envidiosa, si no hago bien algo tan sencillo como eso seguro que no tardará en burlarse de mí. Mi prima es más joven que yo, mucho más, casi una cría, pero su mirada y su lengua son mucho mayores. De vez en cuando me pregunta si estoy contenta, debes de estar muy contenta, me dice. Driss iba muy buscado, yo de ti me daría prisa en hacerle los papeles, que por aquí tiene muchas tentaciones. De repente he pensado en mi primo, porque no sé si vendrá a cenar o no. No lo creo, me responde mi prima, suele quedarse en la tienda comiendo un *boqadio*. Los chicos tienen esa manía de querer comer fuera. Mientras el aceite se calienta, cojo una bandeja y recuerdo súbitamente que yo nunca como patatas fritas, me viene a la cabeza la tabla con la diferencia calórica entre unas patatas hervidas y unas fritas, centenares y centenares de calorías procedentes de la grasa asquerosa en que las hemos frito. Además, aquí todo se come con pan, y les tengo que servir las patatas y que se las coman cogiéndolas con el pan. Si utilizo el tenedor para evitarlo, lo encontrarán escandaloso, de mala educación, algo típico de los niños malcriados que han crecido en el extranjero. Solo a los niños muy pequeños se les permite comer aparte, en un plato solo para ellos y con tenedor. Hacerlo así cuando ya se puede comer con los dedos es de muy mala educación.

Vamos, que con esta cena simple y estúpida se me acumulan dos problemas: el aceite que absorben las patatas y el pan con que las tengo que coger. Si hay pan de cebada, el de payés de aquí de toda la vida, y no esas *baguettes* blancas de ciudad, o los panecillos de *buyo*, aún gracias. Pero el aceite… es demasiado, no me lo puedo permitir. Desde que llegamos, no hemos hecho más que sentarnos y comer. Nos invitan a las casas, nos hacen sentarnos y nos sirven un plato tras otro. Todo con pan. Yo enseguida me sacio, intento coger sobre todo verdura, trato de esquivar las patatas y la grasa, pero las mujeres insisten. Come, mujer, come. Si digo que ya he comido suficiente, insisten aún más, escandalizadas, y enseguida comentan que, para vivir en el extranjero, la verdad es que estoy muy delgada, que debería engordar más. Yo me río por dentro recordando mis caminatas por los campos de la ciudad de los purines, los saltos y los abdominales, la dieta permanente. Y no puedo dejar de observarlas, gordas, llenas de esas lorzas que se intuyen bajo las telas. ¿Tendría que ser como vosotras, verdad? Cuando descubren que no como carne, aún se escandalizan más. Aquí es un bien que escasea, solo los ricos se la pueden permitir más de una vez por semana, algunas familias solo la comen los días de fiesta. No pueden entenderlo; nosotras, que la tenemos a nuestro alcance en nuestra ideal vida extranjera…, no puede ser que no la quiera, y menos aún que no me guste. Cómo se nota que estáis hartos de todo, que nunca os falta de nada. Algunas de ellas me han sugerido ir al médico o visitar a un curandero porque «eso que te pasa» no es normal.

Si supieran que nada de lo que me pasa es normal… Pero ahora estoy aquí, ante el aceite caliente donde tengo que echar las patatas para que se frían y con los niños gritando en la habitación de al lado. Mi prima me mira y no entiende a qué espero. El aceite comenzará a humear de un momento a otro. Le pido que me traiga papel de váter y comienzo a freír las patatas. Nunca algo tan banal había adquirido tanta trascendencia. Por dentro, siento como el corazón me palpita, no puedo dejar de pensar en la posibilidad de que Driss aparezca de repente. Que estemos «solos» en una misma casa, sin que nos vigilen.

Cuando llegamos aquí, nos saludamos, incómodos, mirándonos a los ojos, brevemente, para que no se notara el repentino interés del uno por el otro. Yo he jugado con Driss, he vivido con él como si fuera un hermano, pero desde hace un tiempo nos hemos ido convirtiendo en desconocidos. No lo he visto crecer, no lo he visto hacerse un hombre, porque, aunque tuviera más de veinte años cuando nos fuimos, aún parecía que estuviera a medio hacer, pequeñajo y enclenque. Él tampoco me ha visto hacerme mujer. Solo nos dimos la mano, ya no nos damos ni siquiera besos en las mejillas aunque, al ser mi primo, nos estaría permitido saludarnos así. No me había interesado demasiado por él, la verdad, pero desde que sé que será mi prometido lo miro con otros ojos. Me siento estúpida: ¿Me gusta porque me han dicho que será mi marido? ¿Me fijo en él solo porque me lo han pedido? ¿O a lo mejor es que hay algo más?, no sé, el destino… Lo que siento es una excitación extraña, parecida a la del día en que me sobó el camionero aquel, el que se llevaba los conejos de la granja donde trabajó un tiempo mi madre y donde yo ayudaba los fines de semana. Ella estaba dentro, acabando de sacar la mierda a paladas y cargándola en la carretilla, y yo había ido a ayudar al camionero con la última jaula que se tenía que llevar. Era un hombre gordo, inmenso, con un cinturón abrochado en medio de la barriga que parecía el ecuador dividiendo su globo en dos. Sudaba por el esfuerzo de cargar los animales, y el poco pelo que tenía se le pegaba a la nuca. Ya hemos acabado, me dijo, gracias a tu ayuda hemos acabado antes de lo que me esperaba. Dentro de la cabina del camión el calor era asfixiante, el aire estaba viciado por aquella peste a conejo, una peste húmeda, y de repente noté el aliento de vino del camionero en la cara. Me agarraba por la cintura y me apretaba contra él. Mi cuerpo de doce años, aunque yo pareciera bastante mayor, empequeñecía al lado de ese hombre enorme. Yo estaba inmóvil, como si, de repente, fuera cualquier otra la que estuviera en mi lugar y yo me limitara a contemplar la escena sin hacer nada, sin poder hacer nada porque aún no podía creerme que aquello estuviera sucediendo. En este tiempo que nos ha quedado libre podríamos bailar... bailar como bailáis en tu pueblo, así, ¿verdad? Entonces sus manos enormes fueron bajando por la cintura hasta el culo y me sobaron con una fuerza que no era ni la de su voz ni la de sus palabras. Yo me quedé quieta, sin moverme, como si esperara a ver qué pasaba. ¿Qué quería que pasara? Me acordé de pronto de mi madre e imaginé que venía y que me veía allí: ¡descarada, descarada!

Aparté al camionero con todas mis fuerzas y dije que no, que en mi pueblo los hombres y las mujeres no bailan juntos. Él se empezó a reír. Y continuó con su trabajo como si no hubiera pasado nada; cerró el camión y se fue sonriendo tan contento.

Yo no lo entendí ni se lo conté nunca a nadie porque, de hecho, mi madre sí que habría tenido razón, yo era una descarada y lo había provocado. Y tenía más razón aún porque, en su forma de sobarme, en la manera en que me manoseaba el culo, encontré una excitación nueva. Pues claro que no me había gustado el camionero, no podía imaginarme un hombre más asqueroso, aquellas carnes enrojecidas y sudadas, pero me había gustado que se me arrimara, que me apretara contra él, sentirme deseada por primera vez; ya era toda una mujer y yo hasta entonces no lo había sabido.

Con Driss, la excitación es parecida, aunque él sea más agradable. Al menos a la vista y al olfato; es limpio, bien parecido, viste bien, y es respetuoso, amable y colaborador. Vamos, que, después de tanto leer sobre el amor, resulta que el mío será así, un chico que no huele y que es amable, es eso, ¿no? Qué más quieres, dirían las mujeres, tú como mínimo has podido escoger entre todos los que han llevado azúcar a tu casa. Sacos y más sacos de azúcar para pedir tu mano, y amenazas por las calles: «Ah, ah, ah, no me queda otro remedio que llevarles un saco de azúcar a tus padres». Y yo: ¡Por qué no se lo llevas a tu madre, desgraciado!

Pero la verdad es que todos esos pretendientes desconocidos, que solo se interesaban por que les hiciera los papeles para atravesar el mar, me excitaban, me excitaban tanto como el camionero. De hecho, desde hace un tiempo, ya no me masturbo pensando en él y en sus manos sobándome sino en todos los que podrían ser mi marido. Ahora, solo Driss, el limpio.

Mi prima ha traído el papel y yo lo he distribuido, capa a capa, sobre las bandejas; y, cuando las patatas ya estaban a punto, las he puesto encima. Pero ¿qué haces?, me ha gritado mi prima, ¿te has vuelto loca o qué? Es por el aceite, prima, así el papel absorbe el aceite y las patatas están más buenas. Pero ¿dónde quieres que mojen el pan los niños? Los he observado de uno en uno, todos tan parecidos, pequeñitos y delgados, algunos con la barriga hinchada, todo ojos.

Hoy es mi día. Esta frase solo tiene sentido en esta lengua que, en estos días de vacaciones en «nuestro país», «en nuestra tierra», se ha convertido en la lengua de mis pensamientos, ya solo la escucho por dentro. Si volviera a vivir aquí, ¿cuánto tiempo podría conservarla? ¿Cuánto tiempo seguiría siendo la lengua de mi pensamiento? ¿En qué momento la cambiaría por la de mi madre? Da igual, hoy es mi día, y lo es aunque no sepa decirlo en su lengua, porque si traduzco esta frase, si digo «es mi día» en el idioma de mi madre, querría decir que me tengo que morir, que está escrito que hoy me voy a morir. Esto acabé de entenderlo cuando, en nuestro nuevo país (que para ella nunca será nuestro, claro), me enteré de que se celebraba el día de la madre porque en el colegio nos explicaron que había un día dedicado a todas las madres, que las teníamos que felicitar y agradecerles todo lo que hacían por nosotros, su esfuerzo y su sacrificio. Llegué a casa entusiasmada con la idea, gritando muy ilusionada: «Madre, hoy es tu día» y ella, desprevenida y atareada, me dio un buen chasco: «¿Qué pasa, acaso quieres que me muera?».

En cualquier caso, hoy es mi día, el día de mi casamiento, y con ello me libero por fin y la libero a ella. No he podido dormir, claro, ya hace días que no puedo. Duermo junto a mis primas, a mis tías y a unos niños que se mean sobre esas mantas desgastadas que tienden en el suelo. Como cadáveres, unas junto a otras. No recordaba que dormir así fuera incómodo, pero ahora lo es. Cuando mi madre y yo vivíamos aquí, a mí me ponía en el lado que daba a la pared y ella hacía de barrera para que yo no rodara hacia donde no había mantas y el suelo estaba frío. Si yo insistía mucho y no estaba demasiado cansada, me contaba algún cuento. A oscuras, sus palabras se convertían en imágenes, imágenes de cosas que nunca había visto, como Nunja, aquella chica de larga cabellera encerrada en una torre donde una bruja le contaba cada noche los cabellos para averiguar si alguien se los había tocado mientras ella estaba fuera. O aquella otra que tenía hermanos que se convertían en cuervos. O la historia de Yussuf, que después, en nuestro nuevo país, nos contarían en religión. Me gustaba dormir a su lado, pero hace tiempo, desde que emigramos, que no hemos vuelto a dormir juntas. Lo he echado de menos siempre, aunque ahora se me haría raro, incómodo, tan incómodo como cuando nos tocamos por casualidad y me invade un extraño malestar.

Estas noches duermo con mis primas, y somos mucha gente en una misma habitación. La estancia es grande, claro, pero yo no me acostumbro a la falta de intimidad, no sé estar siempre tan acompañada, cada minuto del día. Soy la invitada, la persona importante, no me dejan nunca sola. Estoy a años luz de poderle explicar a alguien, ni siquiera a mi prima confidente, que yo tengo desde hace años unas costumbres propias que no puedo abandonar así, de repente. No sé si se me habrá pegado de las *thirumiien* o no, pero yo no puedo dormirme si no me he masturbado antes, si no he descargado todas las inquietudes y los murmullos que se me han ido acumulando en el cuerpo a lo largo del día. Aquí es una práctica imposible. Cuando aún vivíamos aquí y yo no sabía que algo así se pudiera hacer, mi madre me había encontrado alguna mañana durmiendo boca abajo. «Venga, levántate», me soltaba, «solo las "partidoras de tareas" duermen sobre la barriga». Yo, que no había pensado nunca en ello, empecé a preguntarme qué tenía esa postura que la ponía tan nerviosa.

Es mi día y no he dormido. Las mujeres se han levantado temprano y ya andan trajinando, recogen las mantas y las colocan, bien dobladitas, sobre el estante del fondo de la estancia, detrás de la cortina. Oigo el repiqueteo de los cacharros en la cocina, el hervidor de agua que silba (un hervidor especial que mi madre ha traído del extranjero). La prima confidente, que es la mula de carga oficial de la casa porque vive aquí y porque le toca hacer las tareas más pesadas, ya ha rociado con agua el patio y lo ha comenzado a barrer. Dentro de nada vendrá el tío Hammu y matará el cordero que trajeron ayer de la ciudad. En circunstancias normales sería la familia del novio la que lo habría llevado a casa en la ceremonia oficial de pedida de mano. Enviarían un cordero o dos, o incluso un ternero si fueran ricos, junto con los pollos, las bebidas, el cuscús, las patatas, las verduras, las olivas y las pasas y los cacahuetes o las pastas. Cuantos más ingredientes llevasen a la fiesta más se hablaría de su generosidad, de lo espléndidos que habían sido, muestra clara de que la chica que se casaba era muy afortunada y le había tocado una casa próspera. Al día siguiente, la familia entera del novio, todos los que se considerase oportuno, iría invitada a casa de los padres de su futura nuera, y las dos familias juntas celebrarían el compromiso. Así ya sería oficial, ya podrían decir que tal chica estaba casada, aunque la ceremonia oficial, el cambio de domicilio y el contacto de los dos afectados no se pudiera producir hasta uno o dos años después. Estos plazos se podían retrasar por varios motivos: porque el chico tuviera que trabajar para afrontar el gasto que suponían tanto la boda como la dote que tenía que pagar a la mujer, porque la chica fuera aún demasiado joven y no estuviera suficientemente madura, y las familias celebraban la pedida de mano esperando a que fuera mayor, y, la razón más habitual en estos tiempos, porque uno de los dos viviera en el extranjero y tuviera que esperar meses, incluso años, para hacer los trámites necesarios para poder llevarse a su nuevo esposo o esposa.

Es lo que yo tendré que hacer, por eso nos prometemos y nos casamos hoy aunque en realidad no nos casemos. Nos prometemos ante nuestras familias y nos vamos a la ciudad a celebrar el acto de matrimonio para que yo, cuando regrese a donde vivimos, pueda comenzar a tramitar sus papeles. Pero no nos casamos ante nuestras familias, lo cual quiere decir que, si nos hablamos, aún tenemos que hacerlo discretamente para no avergonzar a los mayores. Por descontado, no podremos disfrutar de ningún tipo de intimidad hasta que no lleguen la boda real y la noche de bodas.

El tío Hammu se encarga de todos los sacrificios que se llevan a cabo en la casa. Con su gorro de ganchillo, que nunca se le cae, siempre bien sujeto a la cabeza, casi no necesita ayuda para coger al corderito, atarlo por las cuatro patas y degollarlo rápidamente con el cuchillo, justo después de decir la *chahada* pertinente. Todos los sacrificios son en nombre de Dios. Deja que el animal se desangre mientras con una rodilla detiene los espasmos y, cuando ya está muerto, cuando ha soltado su último aliento, le hace un agujero en la piel de una de las patas y sopla para inflarlo y separar así la piel de la carne. A mí este gesto siempre me ha parecido cómico y extraño comparándolo con el anterior, tan trágico. Cuando ya lo ha inflado y lo ha palpado para comprobar que toda la piel esté tirante, lo cuelga de un gancho, lo desuella y lo destripa. Solo necesita que alguien vaya dándole palanganas para ir poniendo los intestinos, los pulmones y el corazón, el hígado y los riñones. El bazo es un trofeo especial, así que se lo da a la señora de la casa para que lo ase vuelta y vuelta sobre las brasas para el hombre de mayor edad, el más importante.

Querría quedarme con él, toquetear todo, como cuando era pequeña, y dejarme embelesar por sus explicaciones y sus risas. No veo peligro alguno en este hombre, por más que las señoras insistan en afirmar que en todos ellos, en todos, siempre hay un destello de maldad, aunque sea solo uno. Por eso, no podría quedarme sola con él aunque ya casi sea un anciano venerable, aunque sea hermano de mi abuelo, un conocido de toda la vida. A partir de cierta edad, cuando una ya es mujer, esa posibilidad, la de estar a solas con alguien del otro sexo, deja de existir. Solo con el padre, el abuelo o los hermanos y los tíos cercanos, pero no con los lejanos. Incluso delante de aquellos es más prudente no ir con la cabeza destapada, no mostrar más piel de la permitida. En otras casas son menos estrictos, pero en la nuestra no, en la nuestra se observan las normas que han regido siempre las buenas costumbres.

Así que no puedo quedarme con el tío Hammu deslizando entre los dedos los intestinos delgados del cordero, ni lavando los estómagos del animal hasta sacarles toda la mierda, no puedo entretenerme observando la cabeza del animal muerto, que me mira con sus ojos grandes y vidriosos ni puedo jugar a inflar los pulmones. Ya hace tiempo que no soy una niña y, además, hoy es mi día. Hoy seré libre y lo será también mi madre. Tengo que vestirme y arreglarme para ir a la ciudad a firmar. Subiremos juntos al mismo coche porque no somos dos familias diferentes que nos encontramos ante el juez y nos vamos conociendo poco a poco, con mucha prudencia al principio, y con un respeto que puede ser sincero o no pero que siempre será conveniente porque las dos familias ya serían una sola. No es mi caso. Aquí no hay misterio ni descubrimiento, mi primo será mi marido.

Al fondo de dos de las habitaciones de la casa hay un tabique tras el cual está el baño. No sería esta la palabra, en las casas de ciudad sí que tienen baños, y los llaman de otro modo, los llaman *hammams*. Suelen estar alicatados y hay un grifo. Aquí, en esta casa tradicional, la palabra es *archam*, que no puedo traducir por más que lo intente. Una pequeña habitación hecha con la pared y que tiene una entrada que acostumbra a ser baja, a menudo formando un arco, y donde si no hay puerta ponen una cortina. Una cortina que es una *qandura* reciclada con una caña que le atraviesa los brazos. A mí esta cortina siempre me ha parecido una mujer crucificada, pero no sabría explicárselo a las señoras. Mi prima ya me había preparado dentro del *archam* el hornillo con el agua para que fuera hirviendo y una palangana con agua fría para que la mezcle con la caliente. Primero nos tenemos que quitar la suciedad con una manopla áspera pensada para arrastrar toda la piel sobrante, la piel muerta. Me gustaría quedarme aquí sola un rato, en esta pequeña habitación húmeda y caliente, así, como estoy ahora, acurrucada sobre mis propios pies, y pensar sin interrupciones ni sonido ambiente, sin el parloteo continuado de todas esas mujeres que me rodean y que me quieren tanto. Pero no digo nada para no molestar, para no hacerme notar, que es lo último que querría, porque yo, lo que más quiero es sentirme integrada. También porque mi prima, aunque sea una cotilla, y a veces envidiosa (yo en su lugar quizá también lo sería, es injusto que el mundo esté tan mal repartido), es una de las personas que más me gustan de la casa. Es simpática y cuenta las cosas con gracia, dando detalles insignificantes que a mí me hacen recuperar un poco, solo un poco, esta vida paralela que continúa aquí mientras nosotras vivimos allí. Con ese pedacito de esta vida, me parece que no me siento tan desarraigada, y me puedo decir a mí misma: soy de aquí, yo también soy de aquí. Quisiera decirle a mi prima que no hace falta que me frote la espalda, pero es costumbre aquí ayudarse en el baño. Me abrazo las piernas y ella, con una fuerza insólita para su edad, me frota por todos lados. Noto sus dedos huesudos que, dentro de la manopla, se deslizan pegados a mi piel. Le digo que no tengo *inyan*, esa palabra tan específica que sería la suciedad que uno saca del cuerpo haciendo precisamente eso que hace ella. En un país polvoriento donde la gente se lava de arriba abajo solo una vez por semana, *'umm* (este baño semanal vuelve a ser una palabra sin traducción exacta), quizá sí que acumulen esa roña que después cae retorcida, pero a mí me parece que yo no tengo. Pues claro que tienes, me dice, ¡mira! Y me enseña la manopla llena de piel muerta. ¿Qué os pasa en el extranjero?, ¿no os dan de comer o qué? Sé que me ha mirado las costillas, que se me marcan, pero no le puedo decir que ese es uno de mis grandes logros, conseguir que entre la piel y el hueso no haya ni un milímetro de grasa. No le digo que, desde que llegamos, me angustia no tener a mano ninguna báscula para saber si engordo o adelgazo o me mantengo para poder hacer lo que sea necesario para controlar mi peso. Aunque aquí tampoco podría hacer gran cosa. Si saliera a correr por los campos me tomarían por loca. Si me vieran haciendo abdominales pensarían que estoy trastornada. Ya tengo suficiente con que sepan que no pruebo la carne y con lo de que no como lo suficiente. Pronto volveré a estar en casa y allí podré quemar lo que quiera. ¿En casa?

Cuando siento el agua caliente en la piel, cuando mi prima me la tira por encima de la espalda antes de ponerme el jabón (un jabón oloroso en pastillas que ha traído mi madre y que reparte a todo el mundo junto con un paquete de café, una toalla, unos cuantos caramelos para los niños y unas galletas; ese es el contenido secreto de los paquetes que tanto suele intrigar a nuestros vecinos cristianos), noto que me escuece. No era *inyan* lo que me quitaba sino mi propia piel, y seguro que mañana o pasado mañana se me formará una costra. Pero, el escozor, en vez de molestarme, me alivia.

Me visto con unos *dfain* de fiesta que mi madre le compró a Mumna. Me pongo el cinturón y me alivia ver cómo me baila igual o incluso más que antes de llegar aquí. Estos vestidos son elegantes, a pesar de que a ojos de los *irumien* solo parezcan capas y capas de tela que esconden unos cuerpos sin ningún interés. Me he estirado bien el pelo y me lo he recogido en un moño bajo perfecto, liso y brillante. Me pongo el pañuelo y me lo cojo con un imperdible justo por debajo del cuello, y después me ato las puntas a la altura de la nuca. Me miro la cara, un poco más clara tras el baño humeante, y me repaso las cejas. Ya hace años que las cejas son para mí una preocupación importante. Aquí, depilárselas se considera un acto prohibido, *haram*. En mi instituto ninguna chica iba con las cejas sin hacer y yo, que tengo muchos pelos fuera de la forma nítida de unas cejas como es debido, no he podido hacer como ellas, ir a una esteticista y decirle que me las haga. He tenido que hacerlo yo, poco a poco, para que no se notara, arrancándome los pelos uno a uno con las pinzas hasta que más o menos he conseguido llevarlas despejadas. Cada pelo que me arrancaba de raíz era un paso para alejarme de mi madre. Después, claro, hay que estar pendiente siempre de los que salen nuevos. Quiero creer que así mi madre no ha notado que las llevo depiladas, pero de la forma que es ella, que todo lo ve, que todo lo escucha y que se da cuenta de todo, es raro que no se haya fijado. Por eso es más plausible que sí lo haya visto y que, aunque en las conversaciones con las mujeres se escandalice de esas chicas tan modernas que se depilan las cejas y el bigote, a mí no me haya dicho nunca nada. En el fondo no debe de ser tan dura como quiere hacerme creer, y no es tan persistente en esa fundamental tarea suya de convertirme en una mujer decente, alguna que otra rendija sí que hay.

Me miro en el espejo antes de marcharme hacia la ciudad para comprometerme-casarme, recorro con los dedos la línea central de mi barbilla y noto cómo me parte el cuerpo de arriba abajo palpitante, rojiza y dolorosa. Pero continúa cerrada ahora que ya casi no pienso en A, ahora que casi no me digo que es por él por quien hago todo esto. Él no sabe nada. Él se quedó en aquella aula de instituto leyendo a Nietzsche y yo, ahora mismo, estoy más lejos que nunca de ser un superhombre.

El rótulo de la oficina es de un rojo escandaloso: «ETT. TRABAJO TEMPORAL». Los carteles del escaparate muestran personas trabajando, con o sin uniformes, pero todas sonrientes, felices, contentas de tener trabajo, aunque solo sea durante una hora.

Debería entrar en esta oficina y explicárselo todo a la seleccionadora de personal: mire, necesito trabajo, un trabajo, si puede ser de larga duración, porque me he de traer a un marido que aún no es mi marido, al que conozco de toda la vida pero no conozco de nada y que hará feliz a mi madre. ¿Qué mejor incentivo que este para trabajar? ¿Qué motor más poderoso que el de complacer a la persona que uno quiere?

Miro mi currículum y me veo reflejada en los carteles de trabajadores contentos. Justo antes de atravesar la calle me he soltado el pelo por si acaso. Antes de salir de casa he dedicado un buen rato a peinarme. Mi madre y yo estamos de acuerdo en que así, bien liso, es como me queda mejor, pero a mí me gustaría llevarlo suelto, y ella siempre dice que eso es cosa de «partidoras de tareas». Le hago caso, también porque el asedio de los cabezas rizadas cuando llevo el pelo sin recoger es aún más insoportable; pero me deshago la cola antes de entrar en la ETT porque, para mí, eso me hace parecer más integrada, no una marroquí más. Pero no sé demasiado bien cómo presentarme, no sé si destacar que soy una marroquí más o que no lo soy en absoluto o que, incluso siéndolo, soy así y me merezco un trabajo.

He pensado muchas cosas antes de venir aquí. En mis puntos fuertes, en lo que podría hacer. Mire, soy espabilada, ya sabe que nosotros somos espabilados (¡ay, el día que se descubra un marroquí que no sea espabilado!), aprendo muy deprisa, increíblemente deprisa, solo necesito ver las cosas una vez para hacerlas yo sola y hacerlas bien, así, a la primera. Hablo muchas lenguas, algunas de forma tangencial, eso sí, y otras las entiendo más que las hablo porque hasta que no he escuchado suficientemente una lengua no la puedo hablar así, como si nada, pero mire, domino perfectamente sus lenguas, las de ustedes y la de mi madre, y también puedo chapurrear la de los diferentes conquistadores del pueblo de mi madre, y hablo otra muy internacional, una que me serviría para ir por todo el mundo. En la escuela me enseñaron mecanografía, soy increíblemente rápida mecanografiando, también sé informática, a nivel de usuario, claro. Sé procesar textos, hacer hojas de cálculo y, si hace falta, incluso sé hacer presentaciones. Si con todo esto no tiene suficiente, le podría contar mi gran proeza, la hazaña de mi vida: que yo soy, ya lo debe de haber adivinado, la muchacha marroquí del nueve y medio en selectividad.

Pero esto no lo he puesto en el currículum y, de hecho, me da una vergüenza terrible cuando lo pienso. No se puede, no se puede explicar en un currículum que sacaste un nueve y medio en selectividad, en un currículum se tienen que poner los estudios que has cursado, la experiencia laboral que tienes y las habilidades específicas para desempeñar una tarea determinada. La selectividad solo sirve para acceder a una carrera. Como de momento no me la puedo permitir, y tampoco sabría qué estudiar, no me sirve de nada haber superado los exámenes. En mi caso parecía que esa era mi gran hazaña, pero no fue culpa mía, yo no lo elegí.

Sacar buenas notas nunca me había sido difícil. Desde que llegamos aquí y aprendí la lengua de la escuela, la biblioteca está muy cerca de casa, no había dejado de leer. Lo que fuera, lo que me llegara a las manos. Aunque al principio había muchas cosas que no entendía, con el tiempo fui capaz de leer cualquier cosa que estuviera escrita. Si te esfuerzas y repites tantas veces como haga falta un texto, por difícil que sea lo acabas entendiendo. Este entrenamiento, fruto de nuestra falta de recursos, de no tener televisión ni dinero para ningún otro entretenimiento, añadido a la soledad en el nuevo país, me ha dado siempre una ventaja considerable a la hora de estudiar. Todo es leer, sea lo que sea. En los últimos tiempos, además, tenía el incentivo de saberme acompañada de A, de poder compartir con él mis adquisiciones, mi evolución intelectual y poder desgranar en las aulas húmedas, frase a frase, lo que nos gustaba a ambos. Así fue como la piel se me empezó a abrir, poco a poco, y dejé que pequeños rayos de luz dentro de mí se fueran escapando hacia él. Solo para gustarle. Por eso la selectividad, para mí, no fue una prueba difícil de superar. Leo y contesto las preguntas, las leo tantas veces como sea necesario para asegurarme de que, más allá de las palabras concretas, sé lo que queréis que diga y explique. ¿Que os hable de Kant o de Platón? ¿Que os defina el estilo de Le Corbusier o *El Éxtasis de Santa Teresa*? ¿Que os analice una oración u os escriba una redacción en lengua extranjera? Todo era fácil, estimulante, y lo era porque deslizar el bolígrafo sobre las páginas para que se llenaran era, de hecho, como escribir a A, como querer gustarle en cada letra.

Estoy aquí delante de la ETT, las chicas pronto se darán cuenta de que hace ya un rato que estoy aquí parada sin atreverme a entrar. ¿De qué quieres trabajar? Esa es la pregunta que espero que me hagan, y no lo sé. Diría que de lo que sea, pero porque no me atrevo a decir lo que realmente me gustaría: trabajar como recepcionista, recibir gente, atenderla, ser útil. Hablo lenguas, ¿recuerda? Sería una recepcionista muy adecuada, domino muy bien los diferentes registros, sé ser más o menos formal dependiendo de la situación, me adapto muy bien. No en vano soy la perfectamente integrada. También serviría para dependienta. Pero, entonces, recuerdo la última experiencia que tuve al dejar un currículum. Era cerca de casa y pensé que el trabajo sería muy adecuado para mí: Benetton, una marca de ropa que se promociona con gente de todos los colores, de todas las razas. Seguro que yo, que por más que me haya adaptado conservo una piel de color oliva, claramente extranjera, encajaría muy bien en un lugar así. Pues nada, me presenté en la tienda con una fotocopia de mi currículum. Cuando se lo di a la dependienta, muy tiesa ella, levantó las cejas, perfectamente depiladas, y me miró de arriba abajo: ¿Tú? Como si aquella posibilidad, la de que yo trabajase allí, fuera lo más improbable e inverosímil que hubiera oído nunca.

La humillación me impidió que dijera nada, pero aquí, en la ETT, puede que tenga más suerte. Puede que me reconozcan, me digo para animarme, mientras recuerdo el revuelo que provocaron mis notas. Unos ánimos agridulces porque si yo hubiera sido normal, como hay que ser, vamos, de aquí de toda la vida, nadie se habría fijado en mis notas.

De verdad que yo no tuve la culpa. Los medios suelen entrevistar a los alumnos con las mejores notas del país y yo no fui de esos, desde luego, ni siquiera fui de las mejores de mi instituto. Pero se ve que algún periodista se fijó en mis apellidos extranjeros en la lista y, sin tiempo ni para pensarlo, ya estaba yo respondiendo preguntas como cuándo había llegado aquí, cómo me sentía, si estaba muy integrada y todo eso. Y la bola de nieve fue creciendo muy deprisa: una entrevista, otra, el diario local, después uno de mayor tirada y, al final… ¡una entrevista en televisión! A mi madre, todo esto le daba más miedo que otra cosa y, desde luego, a mí también, aunque pensaba que siempre podría valernos para algo. Para encontrar trabajo, por ejemplo.

Solo que eso, lo de ser un mono de feria, no se puede poner en el currículum.

Me aliso el pelo con una mano y, finalmente, entro. Le digo a la chica que vengo a apuntarme. Me pide que me siente, me toma los datos, se queda mirando mi permiso de residencia. Hoy me ha entrado una oferta que te puede interesar, de limpieza y cocina. Está cerca de aquí.

En los pasillos del antiguo seminario me siento a gusto. Es un edificio viejo que tiene ese olor de polvo húmedo que tienen las iglesias y las mezquitas. Aún quedan dos monjas, viejas y cojas, que cocinan para los pocos curas que quedan, que también son viejos y cojos pero, al menos, están bien servidos por sus homólogas femeninas, que hace siglos que les ponen la mesa y les preparan la comida. A menudo, me hablan de los tiempos en que aquí había centenares de estudiantes de toda la comarca, todos con sus platos de aluminio, y había muchas más monjas que servían. Lo de servir a los sacerdotes es, para ellas, como una especie de privilegio. Un poco como me ocurre a mí, que puedo trabajar y tener mi propio dinero (menos de lo que habría imaginado, desde luego), aunque la finalidad última de este trabajo sea traerme aquí a mi marido-primo.

Mi trabajo consiste en preparar las habitaciones y ayudar en la cocina cuando llegan grupos numerosos y se quedan a dormir. Normalmente son familias cristianas, cristianas de verdad y no lo que nosotros entendemos por *irumien*, vamos, cualquiera que no sea musulmán. En las habitaciones trabajo sola quitando el polvo, cambiando las sábanas y pasando la mopa y la fregona. Me dicen cuáles se tienen que preparar y yo, a mi aire, las voy dejando a punto para el siguiente que tenga que entrar. Me hace incluso ilusión pensar en eso, en que la persona que venga, a la que yo no conozco de nada, se encuentre a gusto en la habitación aunque los muebles sean antiguos y austeros; como mínimo, que no encuentre polvo en la mesa y que la cama huela a suavizante. Entre una habitación y otra, dejo volar la imaginación, y pienso en cosas reales y próximas y en otras más lejanas o imposibles. A veces me dejo llevar por la melancolía y pienso en A, y vuelvo a notarme la piel cerrada y soy consciente de nuevo de todo lo que aún queda dentro, palpitando y con ganas de salir hacia fuera para ser entregado. De entregarme. Pero ahora ya no puedo entregarme, porque es mi madre la que me ha entregado en matrimonio. Con el paso de los días, el instituto va quedando atrás. El nuevo curso ha comenzado y las compañeras, los compañeros de toda la vida, esa gente con la que hablaba, con la que discutía y vivía unas cuantas horas al día, ha tomado un camino que no iba a ser el mío. Soy yo la que ha tomado una bifurcación, la que se ha salido de la senda prevista para casarse. Mis profesores no lo sabían, claro, porque si lo hubiesen sabido habrían comenzado una campaña a favor de que yo siguiera estudiando, podrías hacer lo que quisieras, me habrían dicho, es una lástima que alguien con tus capacidades se eche a perder de esta manera. No les dije nada, y ellos, como siempre, continúan dando clase a una nueva remesa de alumnos y yo, mientras tanto, me conformo con no dejar polvo en las mesas y con poner sábanas frescas para esos cuerpos desconocidos. Es lo que tiene ser cobarde, se paga caro. Dependiendo del momento, me justifico diciéndome a mí misma que si no me marché fue por culpa de A, que fue por él por lo que volví de mi intento de huida. Pero no es más que una triste mentira, fue por mí y por mi falta de valentía. «Los amores cobardes no llegan a amores», y así es como yo me he amado. O des-amado, para ser exactos. Lo asumo, esta es mi vida. Ni superhombre ni supermujer ni nada de nada; solo soy un corderito hinchado en medio del patio.

Acababa de llegar a casa, era el descanso del mediodía, y he oído, desde el lavabo, que entraba Mumna. Mumna es la mejor amiga de mi madre, la persona a quien le cuenta todo y en quien confía. Una confianza que no tiene ningún fundamento, desde luego, porque ya hemos comprobado, más de una vez, que cualquier confidencia que le haga solo a ella acaba siempre en boca de todas las mujeres de la ciudad. ¿Qué se puede esperar de una señora que va de casa en casa? De ella se dice lo peor de lo peor, sobre todo los hombres: que si es una hechicera, que si se dedica a hacer conjuros para que las señoras hagan con ellos lo que quieran, que si no es más que una «partidora de tareas», que si vete tú a saber si en esa casa suya, un piso sucio que comparte con una hermana soltera y fea, no entra quien quiere. Mumna no es ni soltera ni viuda ni divorciada, y eso pone nerviosos a todos esos maridos tan buenos padres de familia, pero tiene la virtud de mantener a las mujeres conectadas con su país de origen, y eso no tiene precio. Suele viajar para comprar cosas imposibles de encontrar aquí y después venderlas de casa en casa: vestidos tradicionales, de diario o de fiesta, henna, corteza de nogal para frotarse las encías, *khol* para pintarse los ojos, uno muy bueno, de su especiero de confianza, tan puro que cura todos los males de los ojos. Pero lo más preciado que trae Mumna son las joyas de oro que trata de colocar a esas pobres desgraciadas que después han de pagarle durante meses o años. Una mujer debe tener oro, cuanto más mejor. El oro es un valor seguro, es lo único que puede salvarte de la más absoluta miseria si el día de mañana te ves sin nada. Sin nada quiere decir sin marido, repudiada o viuda. Mi madre está empeñada en juntarme una buena dote, con joyas buenas. De hecho, hace tiempo, sin que nos lo pudiéramos permitir, adquirió una cadena gruesa, firme y robusta, que yo no me pongo nunca porque pesa mucho, y además a mí cualquier cosa colgada al cuello me estorba.

Mumna tiene su ritual. Cuando llega a las casas pide un vaso de agua, te ganarías el cielo solo con que me dieras un vaso de agua bien fresca. Se sienta abanicándose con la mano, porque, haga frío o calor, ella siempre viene sofocada. Tiene la piel blanquísima, y enseguida se le pone roja; la rojez le destaca más aún por el pañuelo blanco, que siempre lleva atado como si estuviera en la calle, debajo de la barbilla, y después, aunque no haya nadie en la casa, no se lo cambia a la nuca para no pasar tanto calor. En apariencia, Mumna se esfuerza siempre por parecer la más piadosa, la más prudente de las musulmanas, pero cuando la veo no puedo dejar de pensar en aquellas alcahuetas pervertidoras que salen en *Las mil y una noches*. Después de sentarse pasa un buen rato hablando de temas diversos, normalmente de noticias nuevas que ha ido recogiendo en las casas que ha visitado, vamos, confidencias de otras amas de casa. Lo exagera todo, lo critica todo como si en verdad se tuviera por la más devota, como si fuera la más cumplidora de los mandatos divinos. Es tan cumplidora que resulta que en cuanto se enteró de que sus tatuajes eran *haram*, prohibidos, se sometió a un doloroso proceso para quitárselos. Más doloroso es el fuego eterno, me dijo cuando se me ocurrió preguntarle, al ver los huecos que le habían dejado en la barbilla, si le habían hecho daño. *L-lah istar, L-lah istar*. Que Dios nos salve.

Mientras habla, le traemos té y pastas. Ella que no, que no, que no, que solo pasaba por allí, que fulanita le había pedido no sé qué y que, como nuestra casa le venía de paso... Cuando ya hemos dejado la bandeja, comienza a contarnos lo que le ha comprado su última cliente, un anillo precioso, esta forma es nueva de este año, que tiene unas piedras verdes maravillosas. Mirad, se parece a este. Y así, sin que nos demos cuenta, ya la tenemos enseñándonos su mercancía. Es una vendedora muy buena, la verdad es que nunca te da la sensación de que te quiera vender nada, ni siquiera cuando ya se lo has encargado. Ella te enseña lo que tiene, eso es todo, y también te dice quién le ha comprado qué. Y así es como va haciendo moda, llevando la moda de allí a aquí.

Veo que mi madre observa con interés un juego de siete pulseras. Muy bonitas, desde luego, tienen unos relieves de hojas muy bien trabajados. Mira cómo pesan, me dice, y yo las cojo y me las pruebo. ¿Las setenas no me las tiene que comprar él? Claro, me dice mi madre, pero nosotras las podemos escoger, ya lo sabes. Pero, si las cogemos aquí, las tendremos que pagar nosotras primero, y te recuerdo que aún me hacen falta muchas cosas. El piso, los papeles, la boda, la *neggafa* que me tiene que vestir...

Mujer, tampoco es necesario correr a pagarlas, dice Mumna, impaciente, porque teme perder una venta. La miro a los ojos y me pregunto si recuerda algo, si al mirarme piensa en nuestra historia en común o cree que, como era muy pequeña, es imposible que conserve ningún recuerdo de aquel día. A veces tengo ganas de decirle a la cara, así, como si nada, ¿recuerdas aquella tarde, cuando dormimos la siesta juntas? Pero no le digo nada, no soy lo suficientemente valiente. O más simple aún: a estas alturas, el recuerdo de aquella experiencia me deja como si nada, no me provoca ningún sentimiento aparte de un cierto asombro, una extrañeza que aún no me he podido quitar de encima.

Vivíamos allá abajo todavía. Junto a nuestra casa vivía otra familia que tenía una hija; era mayor que yo, pero jugaba con ella a menudo, porque allí, entre los campos, tener niñas cerca con quienes jugar no era tan fácil. En el pueblo, la hora de la siesta era como el tiempo de la noche: silencio, quietud y mínima actividad. Ninguna actividad, de hecho. Yo debía de tener seis o siete años, incluso menos, pero ya no recordaba cuándo había sido la última vez que había podido dormir de día. Aquella hora era siempre la del aburrimiento absoluto, la del tedio, y los minutos se arrastraban pesadamente mientras yo también me arrastraba por los rincones del patio intentando encontrar un entretenimiento que pudiera estimularme. Y salía afuera y dibujaba formas desconocidas con un palo en la arena, y me columpiaba en el algarrobo de debajo del gallinero, y me iba a la puerta de los vecinos a ver pasar los coches… pero por allí solo pasaba uno cada mil años. Cogía siete piedrecillas y jugaba con ellas, lanzaba una al aire y después trataba de coger otra antes de que la primera cayera al suelo. Después las tenía que coger de dos en dos, de tres en tres, de cuatro y tres, de cinco y dos, de seis y una, de siete. La más fácil. Mi madre me lo tenía prohibido, no quiero que te pases el día por las casas, nosotras no somos de esas. Lo decía para que no molestara, pero también porque era una niña y no estaba bien que una niña fuera sola por los sitios, aunque fuera pequeña, nadie sabe nunca lo que pasa por la cabeza de los hombres. ¿Y por la cabeza de las mujeres?

La puerta pequeña de la puerta principal, la gran puerta azul, estaba abierta y, justo a la derecha, se encontraba la habitación de las niñas, en la que casi siempre estaban Hadda, con quien yo jugaba, y Mumna, su hermana mayor. Mumna era tan mayor que ya nadie esperaba que se casase, y tenía una reputación tan nefasta que era el peor partido posible. Como no quería ir de segunda compartiendo marido, le había tocado quedarse en casa de sus padres. Unos años más tarde, convencería a un vecino de que la hiciera pasar por su mujer para poder cruzar la frontera y allí, en el extranjero, Mumna comenzaría su nueva vida de viajes continuados entre nuestro pueblo de origen y nuestra ciudad de llegada. Pero aquella tarde de verano todo eso aún quedaba lejos, y Mumna estaba al fondo de la habitación, me imagino que intentando dormir. ¿Está Hadda?, le dije yo, con mi voz más prudente, por si dormía. Me contestó enseguida que no, que había ido a la ciudad, a casa de su hermano, y que no volvería hasta mañana. Me preguntó por qué no dormía. Es que no sé dormir de día, tía. Pues ven a dormir conmigo, conmigo seguro que puedes. Dijo que cerrara la puerta. Le hice caso y me estiré a su lado, sobre las mantas que había extendido para una sola persona, y me dijo: acuéstate, bonita, que aquí estarás bien. Ven. Me apretó fuertemente contra ella, y yo pasé a ser una parte más de su cuerpo. Olía a Nivea y a vinagre con clavo, también a sudor de sobaco. Súbete el vestido y bájate los pantalones, me dijo, y yo, más por curiosidad que por otra cosa, le hice caso. Ella había hecho lo mismo, con los dedos de los pies notaba que tenía el *sarwal* por debajo de las rodillas. No tardé en notar el vello de su sexo en mi piel, me hacía cosquillas. Comenzó a rozarse contra mí con un ritmo constante, dámelo, me empezó a decir, dámelo como si fueras un hombre.

¿Por cuánto me las dejas, Mumna?, le dice mi madre. Somos casi familia.

Ya no leo. No tengo tiempo ni me conviene. He escogido esta vida, según la cual debería haber sido analfabeta como mi madre: casarme, tener hijos, cocinar, limpiar, recoger, agotarme cada día y volverme a levantar para hacer exactamente lo mismo que el día anterior. Y no quejarme. Para irme haciendo a la idea, voy dejando atrás todo lo que formaba parte de mi otra vida, la del instituto: los libros, los conocimientos en general. Con mi primer sueldo nos hemos podido comprar un televisor y así, embobada delante de la pantalla maravillosa, mato el poco tiempo que me queda para pensar.

Nadie me ha pedido que deje de leer, mi madre se conforma con que haya decidido volver la mirada hacia nuestra tierra y me case con un buen chico de allí. Y es tan bueno, mi primo, el hijo de su hermano. A Driss lo ha querido mucho desde que nació, le ha hecho regalos y le ha pagado fiestas. Ahora también le regala a su hija, su bien más preciado. Pero intento no ver así las cosas y recordarme a mí misma que fui yo quien decidió aceptar su propuesta, que ella me dijo que si no me parecía bien lo entendería. Trato de recordar que, cuando yo me case, ella será libre y todo será más fácil.

En los pasillos del seminario los pensamientos acuden a mí lo quiera o no, pero dejo que se alejen. Trabajo muchas horas, tantas como me piden. El gerente es un hombre limpio, seco y veloz que apenas me mira y que, cuando lo hace, parece como si no me viera. No es cura, pero lo podría ser. A veces, cuando es fiesta, viene acompañado de una mujer que parece su novia, una mujer delgada, rubia, vestida con colores neutros. Podría ser una versión adulta de muchas de mis compañeras de instituto, tan diferentes de «nosotras» que tendemos a estar gordas, a que nuestras carnes se desborden por todas partes y a que nos huelan a sudor los sobacos. Seguro que a esa mujer no le huelen los sobacos, seguro que todo le huele bien. Cuando viene, espera en recepción mientras él repasa la agenda de las estancias. Esta semana no habrá nadie, pero se tendrían que limpiar todas esas habitaciones. Cada día que vengas, me anotas las que hayas acabado y dejas la nota en recepción.

A mí me gusta estar sola en este edificio tan grande, donde mis pasos retumban, y donde incluso parece que retumbe mi respiración. Rocío la mopa con ese espray que huele a madera barnizada y olfateo las partículas que quedan en el aire. Aunque el trabajo es monótono y tedioso, me hace ilusión pensar en qué dirá el gerente cuando vea que lo he hecho bien, que se puede confiar en mí. Cuando hacía poco que habíamos llegado, tenía la misma aspiración, pensaba que en este nuevo país todo era posible, y, cuando mi madre me ponía a fregar la escalera, fantaseaba a menudo con la idea de que alguien me viera y quedase admirado de mis cualidades limpiadoras. Que pasara por el lado y observase con asombro cómo una niña tan pequeña era capaz de manejar la fregona con tanta agilidad. Más tarde, me darían un trabajo, seguramente limpiando escaleras, porque eso era lo que solían hacer las amigas de mi madre y mi propia madre. Los primeros para los que trabajara se lo dirían a sus amigos o a sus familiares, les dirían: Tenemos una chiquilla que, no veas, es pequeña, pero es más espabilada... friega las escaleras como no se ha visto nunca. Me recomendarían los unos a los otros y las horas libres se me llenarían de horas de trabajo bien pagado. Ayudaría a mi madre y me pagaría mis cosas, incluso podríamos ahorrar para tener una casa «allí». Cuando ahora me acuerdo de todo aquello, de cómo llegaba al bordillo, con la fregona entre las manos, y el corazón me palpitaba cada vez que pasaba alguien por la calle, pienso que era una niña ridícula y con alma de sirvienta.

Ahora que ya estoy en aquella fantasía, pero en limpio y no en negro, me encuentro ahorrando para la boda, el viaje, los regalos a la familia del novio y la entrada del piso nuevo. En cada habitación cojo las sábanas, desgastadas y con unos dibujitos de flores pequeñas, y las estrujo bien para ponerlas a lavar. Cuando las llevo contra el pecho hechas una pelota y paso por delante del espejo, no puedo evitar mirarme. Me pongo de perfil, sobre todo para comprobar la longitud de mi pelo, que para nuestras mujeres es tan importante como el oro: cuanto más se tenga mejor. Por eso sigo poniéndome henna, como ha hecho siempre mi madre cuando se le terminaba la regla. De pequeña me angustiaba esa sensación fría, húmeda y pesada, pegajosa, del mazacote verde en la cabeza. Me incomodaba no poderme mover y me sentaba en el patio, donde diera el sol, y apoyaba la barbilla encima de la mano y me adormecía mientras notaba cómo aquella masa espesa se iba secando y endureciendo. Hasta que mi madre me descubría, disfrutaba un momento allí, al sol, del calor del mediodía, pero en cuanto me veía, me estaba gritando: no estés al sol *aia abaiud*, algo que aún no sé traducir, y que quiere decir «barro», pero que te lo dicen cuando creen que te quedas embobada, que no eres espabilada. Quítate la mano de la barbilla, añadía, solo las huérfanas se ponen así. Y, entonces, yo no podía evitarlo, empezaba a pensar en aquella expresión, en lo que quería decir. ¿Quién había decidido, y cuándo, que si apoyabas la barbilla en la palma de la mano quería decir que no tenías padres? Supongo que empezaron a decirlo porque los huérfanos deben de pasarse muchas horas así, aguantándose la cara con la mano, ya se sabe, al vivir sin padres, seguro que se preocupan y se entristecen mucho, y de aquí debía de venir la expresión. Es posible que se lo llegara a preguntar a mi madre, que por qué decíamos aquello, pero debió de quitárseme de encima como se suele hacer con las niñas que preguntan demasiado.

Ahora, en nuestro minúsculo cuarto de baño, en esta vieja ciudad, aquel ritual se ha vuelto mucho más cómodo. La henna ya no me la pone ella. Hay mujeres que se la siguen poniendo unas a otras, incluso cuando son mayores, porque les resulta más cómodo; pero yo hace tiempo que me la pongo yo sola. Trato de necesitar cada vez menos a mi madre, aunque ella sí que me sigue pidiendo que le frote la espalda, algo que, no sé por qué, cada vez me incomoda más. No sé desde cuándo se me ha hecho extraño verla desnuda. Recuerdo que era una imagen que, al contrario, me gustaba; me gustaban sus carnes fuertes, sus pechos llenos, sobre los cuales caía el agua que se echaba por encima con una pequeña garrafa de plástico. ¿Cuándo comencé a retirar la vista si me pedía que le frotase la espalda? Desde hace tiempo lo hago casi sin mirar.

Me miro en cada espejo de cada habitación que limpio y, cada una de esas veces, me repito que mi madre está orgullosa de mí, que tengo el pelo tal como ella siempre había querido. En eso estamos de acuerdo. En lo que no estamos de acuerdo es en el cuerpo que debo tener. Yo me miro y veo todo el trabajo que aún me falta por hacer, veo que aún tengo que aprender a controlarme cuando como para llegar al peso que quiero, ese peso que me permita tener unas caderas más propias de las chicas de aquí, y no esas nalgas anchas y fértiles de las mujeres marroquíes, que no sirven más que para tener hijos. Mi madre ya no sabe cómo decírmelo, tengo que comer más y comer de verdad: estofados, guisos, carne, patatas, pan. De todo. Tenemos a nuestro alcance, por suerte, toda clase de manjares, tenemos la suerte de que no nos falta de nada y, en cambio, yo he decidido olvidarme de algunos alimentos. Su cuerpo ideal y el mío son totalmente opuestos. Ella me querría rellena, gorda, con la cara redonda como la luna (para mí, como un pan de payés). Esa es la frase que utiliza casi siempre cuando ve a una chica que le gusta, que le parece guapa: una cara redonda como la luna, unos enormes ojos negros y unas cejas largas y espesas, una cara muy blanca y llena. Yo, en cambio, no hago más que fijarme en chicas esqueléticas, como muchas de las que iban conmigo al instituto, de esas que llevan pantalones estrechos que les marcan las nalgas, redondas y pequeñas, como de niña. Me fijo en sus clavículas y me parecen casi poéticas. Suelo decirme que, si no fuera por la genética, quizá no tuviera que hacer tantos esfuerzos para ser como ellas y poder sentirme integrada. Solo me hace falta aprender a dominar mis impulsos un poco más y podré conseguirlo.

Voy a correr, voy a trabajar, mi madre me enseña las tareas que me quería enseñar desde hace tiempo y que yo, como aún estudiaba, no había tenido tiempo de aprender. Cocino, sigo haciendo pan, hago *remsemmen* y dulces, *sfenj jringu*, ayudo en las fiestas que celebramos. Ahora ya casi nunca me dice que lo que cocino parece vómito de perro. Casi nunca me critica cuando vienen de visita las otras mujeres y ya no dice aquello de «¿y qué hará cuando esté en casa de otras, buscará en un libro cómo se cocina?».

Aunque no pare de trabajar y de hacer cosas y no me fije en nadie cuando voy por la calle, los hombres todavía me siguen. Lo hacen desde hace tiempo, desde que hice el cambio y se me empezaron a notar las formas del cuerpo, y me dicen cosas por la calle; ah, lo que más, un suspiro acabado en una aspiración turbia que a mí me resulta obscena e insultante. Y si me volviera, podría ver sus miradas sucias y cómo me repasan de arriba abajo. Pero no me vuelvo nunca, hace tiempo que no lo hago. También he dejado de ponerme pantalones ajustados o camisetas demasiado ceñidas. La verdad es que no llevo pañuelo, no puedo llevarlo si quiero conservar mi trabajo, y tampoco sé si con pañuelo me dejarían en paz. ¡Ya saben que estoy prometida y les da igual! También me dicen otra palabra, *Ziin*, belleza, y si creen que he correspondido a sus deseos, aunque sea con un movimiento sutil de la cabeza, siguen diciéndome cosas a las que ni presto atención. A veces, sin dejar de acelerar el paso, les suelto un «vete a tomar por culo, anda», que en la lengua de mi madre suena aún más grosero.

Me miro en los espejos de estas habitaciones desnudas y me digo que si consiguiera un cuerpo de *zrumecht*, de cristiana, delgado y seco, de esos que a ellos no les gustan, quizá me dejaran en paz de una vez. Sea como sea, una vez casada dejarán de decirme cosas, a las mujeres casadas no se les puede decir nada.

El Ayuntamiento organiza cursos para mujeres. De costura y de cocina, que se supone que es lo que nos gusta y nos conviene y hará que nos sintamos parte de esta sociedad nueva para nosotras. Me apunto al de costura. A mi madre le habría gustado aprender a coser, y admira a las mujeres que saben utilizar la máquina y que te confeccionan una *qandura* en un santiamén. Ella cose a mano, pero solo si tiene que arreglar algo o hacerse una almohada o una funda para el colchón. Me dice que en los cursos del Ayuntamiento no se tiene que pagar nada y que solo hay mujeres. Pues claro, ¿quién si no debería haber en un taller de costura para «mujeres en riesgo de exclusión social»?

En una sala anodina, diáfana, con pilares diseminados y de un color gris neutro, como de oficina, un grupo de mujeres se ha sentado en una especie de corro inconexo. Al parecer, se han ido poniendo alrededor de la tallerista, una señora que parece tener mil años y que maneja los alfileres que se saca de la boca con unas manos deformadas, llenas de bultos. La señora habla con las agujas entre los labios. A mí, la verdad, no sé qué me da más repelús, si sus manos o la sensación de que en cualquier momento puede tragarse alguna de esas agujas. Cuando la veo así, no puedo evitar pensar en lo que recuerdo cada vez que tengo una aguja delante; una anécdota sin importancia, desde luego, pero que aún rememoro como si la estuviera escuchando ahora mismo. Es una de las disfunciones de mi cabeza: no puedo evitar establecer vínculos entre los elementos de mi realidad actual y la información acumulada con la que los relaciono; vamos, que no puedo ver una aguja sin que recuerde lo que sé de las agujas. Estábamos allí abajo, mi madre estaba sentada en la habitación que utilizábamos de comedor, la de las chicas, frente a la puerta con el brasero. Bueno, no, brasero no es la palabra exacta, lo llamamos *zimymaz* y es de barro, y es donde calentamos el pan por la mañana, donde cocinamos los pinchos del *'id*, y donde la abuela calentaba el agua y el té porque estaba más acostumbrada que a la bombona de gas. Mi madre tenía una pierna estirada y la otra flexionada y hablaba. ¿Con quién? Eso es lo que no recuerdo, pero diría que era con una de las tías. Iba dándole la vuelta al pan, sirviendo el té, partiendo con las manos el pan que ya había tostado, y todas contaban historias de todo tipo sin ningún guion aparente. Como de costumbre, una cosa llevaba a otra hasta que llegaba la hora de levantarse y empezar con las tareas de la mañana, las segundas tareas de la mañana, porque para la hora de desayunar ya habían doblado las mantas, hecho las abluciones y rezado la primera oración del día y, normalmente, habían barrido también el patio exterior rociándolo antes con agua para no levantar una polvareda. Por lo que recuerdo de aquella anécdota, mi madre contaba el caso de una mujer, lo bastante lejana como para no ser ni parienta ni conocida de la familia, que se puso una aguja en la boca mientras cosía y que al darle un susto su hijo pequeño, que corría por allí, se tragó la aguja. Tragarte una aguja es de las peores cosas que te pueden pasar. En este caso, la aguja fue a pararle al estómago, y del estómago le pasó a la sangre. Y, por más radiografías que le hicieron, no pudieron encontrar la aguja, porque no dejaba de moverse por todo el cuerpo con la sangre. *L-lah istar*, exclamaron las mujeres, *L-lah istar*; y a mí se me ocurrieron un montón de preguntas sobre la cuestión, había un montón de cosas que no podía entender sin haber ido nunca a la escuela ni haber asistido a clases de anatomía ni saber nada de cómo funciona el cuerpo humano. Pero no podía decir nada si quería que me dejaran seguir presente en sus conversaciones. Mi madre siempre decía que tenía que estar calladita cuando hubiera gente mayor delante. Al final no pude más y, cansada de oír *L-lah istar*, *L-lah istar*, pregunté: ¿Y qué le pasó? ¿Qué quieres que le pasara? ¡Que se murió!

Nunca he olvidado a aquella mujer desconocida a quien, por si fuera poco, yo había dotado de cara, pelo, vestido y pañuelo, y de una casa lejos de la nuestra. Tener siempre esos recuerdos a punto para saltar a la realidad, como si ocurrieran ahora mismo, es una carga pesada y extenuante.

La tallerista debía de llamarse Conchita, porque todas las mujeres la llamaban así. Conchita, ¿y ahora qué? Conchita, ¿cómo hago para…? Existían tres tipos diferenciados de alumna: las marroquíes como yo, casi todas solteras y conocidas nuestras, las gitanas, y las «de aquí», que tenían todas aspecto de haber vivido mucho, algunas con los dientes picados o rotos y la voz ronca de beber y fumar. Se habían sentado en grupitos, las marroquíes con las marroquíes, hablando en su lengua, que las otras no entendían, y las otras también ligeramente separadas aunque hablaran idiomas comunes. Al llegar vi una silla vacía junto a una mujer gitana vieja, gorda y vestida de negro, que llevaba el pelo perfectamente recogido y estirado en una cola. Me miró de arriba abajo, con mi camiseta de manga corta y la falda larga y recta. ¿Tú eres marroquí? Dije que sí y me senté. Pues no lo pareces. Por un momento me entró una especie de entusiasmo, de orgullo incluso. Pensé que me diría que parecía paya, que mis formas y mi pelo y mis gafas y mi ropa transpiraban una distinción que me diferenciaba de mis «paisanas». No, no pareces marroquí, pareces negra. Mira, los negros tienen la palma de la mano y la planta de los pies blanca. Dame tu mano. Se la enseñé casi avergonzada, reprimiendo la indignación que me provocaba que me viera aún más exótica, más diferente, más del sur de lo que ya era. ¿Ves?, eres negra. Y tú, gitana, le hubiera dicho, pero preferí callarme.

El taller consistía, me dijo Conchita, en hacerte algo, algo sencillo para empezar, por supuesto, y ella me iría diciendo los pasos que tenía que seguir. Al principio no cortarás, porque hay que saber mucho para empezar a cortar. Ni coserás a máquina, eso es para las que llevan más tiempo. Lo más importante es hilvanar, si no se sabe hilvanar, la cosa no funciona. Hilvanar, hilvanar e hilvanar, es lo que yo siempre digo. Eché un vistazo a las otras: su ritmo de trabajo era soporífero y entendí que aquello no era más que un aparcamiento para mujeres marginadas a las que, supuestamente, había que integrar. También tenía la finalidad de ser un lugar que facilitara la conversación en la lengua del lugar, pero solo Conchita la hablaba.

Al cabo de un par de horas de estar allí, hilvana que te hilvana, me entraron unas ganas irrefrenables de ir al lavabo y masturbarme hasta deshacerme de aquel tedio insoportable, de aquella sensación horrible de que el mundo que yo misma había elegido no solo era pequeño y limitado sino que, además, se iba encogiendo sobre mí. Pero, antes de levantarme, entró como un huracán una chica que no debía de llegar a la treintena, alta, delgada, con un moreno de rayos UVA. Hablaba con una voz estridente que subía y bajaba de tono de una forma desconcertante. Nos hablaba, tanto a Conchita como a las alumnas, como si fuésemos sordas o niñas pequeñas o tontas. O las tres cosas a la vez. Decía: ¿A que os gusta venir aquí? ¿A que estáis contentas con Conchita? ¡Tenéis mucha suerte!, ¡anda que no tiene paciencia ni nada, Conchita! Y lo decía todo moviendo la cabeza de una manera exagerada, gesticulando sin cesar. Yo la miraba fijamente, incapaz de quitarle los ojos de encima. Y, de repente, fue ella la que me miró. ¡Yo a ti te conozco, claro que te conozco! Tú saliste en la tele. Toda la vergüenza del mundo me cayó encima de golpe, y volví a escuchar aquel runrún dentro de la cabeza: ¡Mono de feria! ¡Mono de feria! ¡Mono de feria! Tú eres la chica que sacaste un nueve en la «sele». Estuve a punto de corregirla: un nueve y medio (anda que no eres mono de feria ni nada). Niña, te felicito de corazón, en serio, no debes de haberlo tenido nada fácil. Lo que has hecho tiene mucho mérito, de verdad que te felicito. ¡Hablas tan bien nuestra lengua! (¡Mono de feria!, ¡mono de feria!). Y a ti te encanta que te digan estas cosas, aunque sepas de sobra que es denigrante, que lo que piensa esta chica es que, de entrada, solo por ser lo que eres, solo por haber nacido donde has nacido, estás destinada a no ser nada, a no hacer nada, que en tu ADN están inscritos el atraso y la inferioridad. Por eso, superar estos condicionantes es ya de por sí un mérito extraordinario, casi un milagro. Pero la miro e intento ser justa y no dar por hecho que carga con tantos prejuicios. Quizá piense que lo que he hecho es meritorio porque aprendí su lengua con diez años, y eso que antes de nuestro traslado a esta vieja ciudad no sabía ni que existiera. A lo mejor sí que es excepcional lo que he hecho, pero no soporto ver cómo a mí me mira con esos ojos que le hacen chiribitas del entusiasmo y, en cambio, cuando mira a las otras chicas marroquíes, las mujeres que son más como mi madre, que apenas saben ni leer ni escribir y se casaron al iniciar su vida fértil, debe de pensar que llevan una vida que no merece la pena vivir.

¿Y qué haces aquí?, me pregunta cuando yo, visiblemente incómoda, le he dado las gracias por sus amables palabras. ¿Que qué hago aquí?, pienso. Le podría decir que soy como Mundeta Ventura preparándose el ajuar y que tengo que bordar mis iniciales en las sábanas, que me caso y que por eso vengo a aprender a coser. Pero sería mentira, porque nosotros no preparamos ajuar, ni bordamos, y menos aún letras. Ni siquiera podemos sentirnos enclaustradas en los patios del Eixample. Nada, le digo para hacer tiempo y pensar mi respuesta, quería ver cómo era este taller… Pero oye, al final, ¿qué estudias? Recuerdo que te lo preguntaron en la entrevista, niña, qué bien hablaste, de verdad, toda la ciudad, te lo digo yo que soy la hija del alcalde, toda la ciudad se siente muy orgullosa de ti. Algo estaremos haciendo bien, ¿no? En qué quedamos, pienso, ¿es mérito mío o de la ciudad? Y sigue hablando y gesticulando, y, cuanto más gesticula, más insoportable se me hace esa voz suya tan estridente; gesticula tanto que parece que se le vaya a salir volando la cabeza. En la entrevista decías que todavía no habías elegido, que no sabías qué hacer.

Todavía no lo sé, le digo finalmente. Me he tomado un año sabático para decidirlo. Por primera vez, la cara iluminada de la mujer se apaga, decepcionada, y yo miro a mi alrededor y veo que el resto de la sala está pendiente de nuestra conversación. La mayoría de los ojos están puestos en el trabajo que tienen entre manos, pero noto que sus oídos no se pierden ni un detalle de lo que me dice la morena artificial. Es que se casa, salta una marroquí amiga de mi madre.

¿Cómo? ¿Que te casas? Pero si eres muy joven, ¿cuántos años tienes? Le digo que dieciocho, pero a punto de cumplir diecinueve. Se me queda mirando más decepcionada todavía, y a mí la situación se me vuelve tan insostenible, tan irreal, que de repente paso a verme desde fuera, como si no fuese yo la que estuviera viviendo este momento tan absurdo. Me veo a mí misma así, de pie, agarrándome a un trozo de tela con los dedos muy tensos, ajustándome las gafas cada dos por tres y alisándome el pelo, que de pronto me parece como si se me hubiera rizado de golpe. Me veo a mí misma frente a esa desconocida que me pide explicaciones sobre mi vida, una vida de la cual hasta hace dos minutos ella solo conocía ese trocito que había visto en la televisión. Me veo desde fuera, en esta planta fría de un edificio de la ciudad, y pienso que si me hubiera ido al lavabo habría salido ganando. Me observo y veo que me gustaría abrirme por completo, aunque no esté obligada, para que esta mujer entendiera lo que hago y lo que dejo de hacer, me gustaría que me viera por completo, con todo mi recorrido, con mi historia, que me viera por dentro y por fuera y que así pudiera entender mi decisión. Pero es imposible, no puedo explicar todo lo que soy en una palabra, o en una frase, en esta conversación inesperada. ¿De qué le hablo? ¿De A y de la herida y del desencanto de no saberme querida? ¿De mi madre y de su sufrimiento? ¿De los hombres que me persiguen por la calle? ¿De que sí, es verdad, no sé qué estudiar, y si no hay nada que me apasione lo suficiente como para dedicarle todas mis fuerzas y el poco dinero que tenemos, si no puedo apostar por un camino que sea seguro, más me vale hacer lo que habían previsto para mí desde pequeña? También le podría decir que soy cobarde y que soy incapaz de asumir lo que representaría una vida lejos de aquí, lejos de mi madre.

Me caso porque quiero. Vamos, que lo he decidido yo. Claro, claro, me contesta ella, incrédula. De todos modos te dejo mi tarjeta y, si necesitas cualquier cosa, me lo dices. Y yo, ¿cómo podría contactar contigo? Estoy segura de que a mi padre le encantaría conocerte y, además, estamos poniendo en marcha algunos proyectos que te podrían interesar; nos encantaría que pudieras participar. Pienso: ¿Y eso por qué? ¿Cómo sabes que soy la adecuada?, ¿solo porque soy marroquí y sé hablar? Pero me conformo con darle las gracias. ¡Niña, hablas tan bien!

Mi madre y yo buscamos piso. Cuando llegamos aquí, nos vimos obligadas a quedarnos en este tan viejo del casco antiguo que está lleno de humedades, que no tiene calefacción y donde no da el sol ni por casualidad. Bueno, solo un poco en verano, al mediodía. Es barato y lo podemos pagar, pero ahora nos tenemos que cambiar. Para conseguir el reagrupamiento familiar debemos tener uno en condiciones; vamos, que, después de años de vivir aquí, ahora nos exigen, como inmigrantes, lo que no hemos podido permitirnos nunca.

Mi madre está contenta; últimamente la oigo tararear en la cocina, muy bajito, canciones de cuando era joven. La que más *Mami laaziz inu*, que quiere decir «amado mío», pero al parecer de una manera más íntima y vergonzante, porque ninguna mujer que se considere decente cantaría eso delante de los hombres. Me gusta saber que está de buen humor, tanto, que incluso se queja menos de los dolores de espalda que, sin causa ni solución, la paralizaban de vez en cuando.

Las dos trabajamos mucho. Yo sigo en el seminario todos los fines de semana y algunas horas que me dan de vez en cuando si falta personal. Mi madre continúa con sus escaleras y echando unas horas en casa de María. También cocina en las fiestas cuando se lo piden, los fines de semana, y el carnicero de la plaza dels Màrtirs, que ha oído hablar de sus maravillosas manos para la cocina, le ha encargado que le haga pan para vender, y también *chebbakia*, ahora que está a punto de empezar el Ramadán.

He ido a ver un piso yo sola. No puedo llevar a mi madre conmigo porque al verla entrar con su pañuelo, los que quieren alquilar el piso suelen cambiar de opinión. Suelen cambiar de opinión de todas formas, pero cuando voy con mi madre queda bien clarito desde el primer momento que no tenemos ninguna posibilidad de que consideren siquiera aceptarnos como inquilinas. Al principio me indignaba y me entraban ganas de gritar, de acusarlos de racistas, pero el racismo es indemostrable para los que no lo han sufrido nunca y, como dicen las mujeres marroquíes, saben que están «en su casa». Por teléfono todo es mucho más fácil. Estoy interesada en ese piso que anuncian; el del Paseo, sí. Como tengo un acento tan de aquí, tan de la ciudad, me atienden bien. A veces, incluso cuando me conocen en persona, siguen sin dudar de que pueda ser una buena candidata a inquilina. A veces, ya no. Eso depende de la persona, hay quien tiene el sentido de la alteridad más desarrollado y enseguida se da cuenta de que soy marroquí. Pero otros me confunden con alguien del sur o con una morena de las de toda la vida. O eso quiero pensar yo, porque, hasta ahora, la tarea de encontrar piso no ha dado ningún fruto. Si me detectan a las primeras de cambio, enseguida me dicen que ya hay una persona interesada y que, en todo caso, ya me avisarían por teléfono. Por supuesto, estos no me llaman nunca. Pero los que me generan más frustración son los que al principio no se dan cuenta de que soy marroquí. Más de una vez he encontrado el piso perfecto, con una cocina fácil de limpiar, con bastante luz natural, sin desperfectos visibles y, además, con un precio razonable. Así que hemos llegado a un acuerdo, nos hemos dado la mano y hemos cerrado el trato. Pero, mira tú por dónde, cuando envío la fotocopia de mi permiso de residencia va y aparece, como por arte de magia, un sobrino de la propietaria que necesita el piso porque se casa. Y podría incluso llegar a creerme la historia si no fuera porque en todos los casos se trata de un sobrino.

Y yo, que en las clases de filosofía solía debatir sobre cualquier tema como si me fuera la vida en ello, ahora me veo impotente, y me muerdo la lengua para no decir nada cuando pasan estas cosas. Vosotros siempre os quejáis, me dirían, siempre estáis acusando a la gente de racista sin razón.

Poco a poco hemos ido cambiando nuestro plan inicial. Cuando llegamos, los pisos del casco antiguo eran los más baratos, también los más viejos, y por eso hemos vivido siempre en el centro de la ciudad; pero parece que últimamente se ha puesto de moda vivir en esas calles sombrías y mucha gente está reformando los edificios. También nos gustaban otros barrios, los de alrededor del centro, pero ya hemos visto que ahí nos rechazan siempre. Así que no nos ha quedado más remedio que buscar fuera del centro, al otro lado del río, donde viven «los de las olivas», esos inmigrantes que vinieron antes que nosotros pero que, por el simple hecho de tener el mismo carné de identidad que la gente de aquí «de toda la vida», no se consideran a sí mismos inmigrantes. Vamos, que, aparte de estrenar familia, también estrenaremos barrio.

Mi madre cocina *chebbakia* y a mí se me inunda la nariz con el aroma de los ingredientes de la masa. El agua azahar tiene una capacidad de penetración que me domina sin remedio. Aspiro su aroma hasta que siento cómo ese estremecimiento en el fondo de las fosas nasales llega al cerebro y me hace enloquecer. La canela, la noto más seca, más en la lengua, como si cuando la oliera se me fuera a la garganta y no a la cabeza. El anís, en cambio, se extiende por todo mi cuerpo con su aroma suave pero persistente. Incluso el imperceptible olor del sésamo tostado y molido me llega y me hace salivar. Todo me hace salivar, todo me excita, casi soy capaz de tener un orgasmo con estos aromas. Una exageración, por supuesto. Muchas veces me pregunto si puede ser que tenga histeria sensorial.

¿Sentirá mi madre lo mismo? ¿Le provocan tantas sensaciones como a mí los aromas de las especias y los perfumes que usamos para elaborar las pastas, o soy solo yo la que sufre este trastorno?

Cuando hacía poco que vivíamos aquí, estos productos eran muy difíciles de obtener, bueno, era imposible si los abuelos no nos los enviaban a través de alguien del pueblo, que los traía junto con una cinta de casete donde grababan sus voces, una carta sonora que acababa con un montón de saludos (vaya, pero si *sram* no son simples saludos, son los abrazos y los besos y las muestras de afecto que la gente se intercambia al encontrarse). Además, teníamos un problema importante: no sabíamos cómo se llamaban las cosas, y no hay ningún diccionario que traduzca la lengua de mi madre a la lengua de aquí. Ni a ninguna otra lengua del mundo, que yo sepa. ¿Cómo podría haberlo, si su lengua solo vuela por el aire y ha quedado fijada únicamente en la piel de las mujeres? Debería ser un diccionario en casete. En aquellos tiempos, como la piel aún no se me había cerrado y mi cuerpo estaba lo suficientemente dormido como para que no me diera miedo, yo aún era ocurrente y creativa, así que, viendo que a mi madre le faltaban todos aquellos ingredientes para cocinar como lo hacía antes de nuestro traslado, pensé que podía coger una muestra de cada especia y llevarla al herbolario de la plaza del Pes. Me la ponía en la palma de la mano, apretaba los dedos sobre ella para no perderla y corría hacia la tienda. Al entrar, abría la mano y preguntaba: ¿Esto cómo se llama? Y así fuimos completando nuestro propio diccionario: comino, cúrcuma, canela, jengibre, pimienta negra, pimienta verde, azafrán.

Ahora las especias que yo misma ayudé a rescatar del olvido semántico se me vuelven en contra. Oler los ingredientes de la *chebbakia* hace que me entre un hambre incontrolable, un hambre más de los sentidos que del estómago, un hambre de saborear, de notar la presencia física de los alimentos perfumados en la lengua, en toda la boca, en el paladar, en la garganta, en el velo del paladar, tan sensible que siento que podría comer con las fosas nasales. Noto cómo la sangre me recorre la boca, la nariz, toda la cara, y me digo que no puede ser; no puede ser que, después de tantos meses siendo tan estricta con la comida, de haber vivido a base de verdura y de agua sucia, como aquella protagonista que deambulaba por la calle Aribau, ahora me desmelene y me coma estas bombas de calorías.

Se me hace tan insoportable la tentación que decido dejar a mi madre con su trajín y le digo que necesito salir un momento. Ni siquiera tiene tiempo de preguntarme nada porque yo ya he salido corriendo con todas mis fuerzas. Voy hacia la calle Montserrat, paso por la plaza de Don Miquel de Clariana sin mirar, voy embalada hasta que llego a las afueras de la ciudad, a los descampados que llevan al pueblo vecino. Corro con todas mis fuerzas hasta que me agoto completamente. Entonces aspiro el olor a purines de los campos y siento cómo los estímulos se han disipado un poco.

Aspiro tanto esta acritud de los meados de cerdo que el corazón empieza a latirme con menos intensidad. Me quedo parada, aquí, al comienzo de la carretera. Una carretera cuyo arcén es tan estrecho que, cuando mi madre y yo caminábamos para ir a la granja de conejos, teníamos que ir en fila. Cada coche que pasaba levantaba un viento tan repentino y ensordecedor que parecía que nos tiraría a los campos. Pero nunca nos caímos. Desde luego, mi madre seguro que no: con aquel paso firme, y aquella figura casi mayestática que caminaba por aquella carretera donde se oía, de vez en cuando, el gruñido medio humano de las hembras del cerdo. Justo antes de entrar en el pueblo, cogía un camino de tierra que durante la primavera estaba rodeado de retama y amapolas. La mismas amapolas que todas las primaveras se esparcía por los campos de alrededor de la casa «de allá abajo». ¿Pensaría en eso mi madre mientras acompasaba el paso cadencioso que conducía sus onduladas formas hacia la nave, donde les quitaría los excrementos a centenares de conejos? ¿La aliviaba ver amapolas aquí, dado que, desde que llegamos, ella ya no podía vivir en «su casa» la primavera, la única época del año en que aquel paisaje verdeaba y no era un sediento conjunto de diferentes tonos ocre? No lo sé, porque mi madre y yo no hablábamos nunca de la añoranza, y porque entonces todavía no teníamos asegurada la supervivencia. Nuestra suerte, mi suerte, es que mi madre siempre ha tenido una capacidad de trabajo inagotable, constante y una disposición prioritaria para ello. Cuando llegaba a la granja de conejos se levantaba la falda del vestido, *abhruar* (esta también es una palabra tan específica para describir esa parte más larga de ropa que cuelga y que a veces arrastra, que no puedo dejar de sentir que traiciono la realidad si no la digo en la lengua de mi madre) y se la sujetaba al cinturón de cordón para tener las piernas libres de rodillas para abajo. Seguía fiel a su vestimenta tradicional aunque estuviésemos en tierra de cristianos. Se ajustaba las botas de trabajo de goma, de color verde oscuro, que le llegaban hasta el *sauar* que llevaba bajo la *qandura*. El pañuelo ya se lo había atado alrededor de la cabeza, con el nudo justo encima de la raya del pelo, perfecta y bruñida de aceite de oliva. Se arremangaba las mangas del vestido, y se las sujetaba con aquellas gomas nuevas, cortesía de la madre China, que facilitaban el día a día de las mujeres musulmanas de todo el mundo. O de cualquiera que llevase vestidos con mangas anchas y tuviera que trabajar. Mi madre no se ponía guantes, nunca se los he visto puestos, y nada más llegar a la enorme sala llena de jaulas, donde sonaba el rumor mortecino que producían los conejos, agarraba la pala y empezaba a quitar los excrementos que se habían acumulado en el suelo, a ras de la pared. Nadie diría que esos animales de tacto suave y carácter más bien tímido tengan la capacidad de producir tanta mierda.

Estoy frente a la carretera, mi sangre ya circula más despacio, y al recordar a mi madre yendo hacia la granja también pienso que la he dejado sola con todo el trabajo. Un trabajo que se le da muy bien, por más que haya sido su versatilidad la que nos ha salvado de la más absoluta miseria; como un hombre, dirían en nuestro pueblo de origen, como si eso fuera un gran halago. A fulanita, trabajando, no la cambiaría ni por un hombre ni por dos, solían decir cuando hablaban de alguien que merecía ese tipo de elogios. De todos modos, preparar *chebbakia* y pan y trabajar en las casas se le da mejor que encargarse de las granjas de los cristianos. Y yo la he dejado sola cuando todo el mundo sabe que para elaborar las pastas del Ramadán son imprescindibles cuatro manos. Hay que estirar la masa, cortarla con la ruedecilla dentada, dar forma a las pastas pasando unas tiras bajo las otras y ponerlas a freír en aceite muy caliente. Antes de que se doren demasiado, si se doran demasiado salen secas, hay que escurrir el aceite y ponerlas dentro de la olla con la miel. No, no es miel, es una falsa miel hecha con azúcar, agua, limón, canela y aquella piedrecita, *chebb*, que no he conseguido averiguar cómo se llama en la lengua de aquí. Un mineral blanco, cristalino, que utilizábamos para limpiar de restos la piel de los corderos para transformarlos en alfombras, y que la abuela dejaba cubiertos de ese mineral molido durante bastante tiempo, un tiempo durante el que la alfombra aún no era alfombra y olía a cordero muerto. Un mineral con un sabor extraño que a mí me dejaba indiferente, no me producía ninguna sensación, ningún estímulo y, menos aún, placer. No es que comiéramos *chebb*, por supuesto, pero era un remedio conocido cuando teníamos anginas y las amígdalas se nos llenaban de pus. Yo prefería notarme el pus gelatinoso en el fondo de la boca que chupar el trozo de *chebb* que mi madre me daba: era áspero y me dejaba la boca acartonada. Intenté encontrar su nombre aquí, yendo al puesto de minerales del mercado del sábado, pero el vendedor miró un momento la piedra y me la devolvió sin ningún interés, ni idea. No se molestó siquiera en escuchar mis explicaciones sobre su sabor y los usos que se le podían dar. A veces es imposible confeccionarse un diccionario, por la simple razón de que el problema de dar nombre a las cosas es tan solo tuyo.

Mi madre ya ha hecho la miel con el azúcar, la preparó ayer para poder ir hoy más deprisa, porque hoy yo tengo fiesta y la puedo ayudar. Y voy yo y salgo por piernas. Si no tuviera el olfato tan fino, todo sería más fácil. Si me pudiera extirpar la nariz, buena parte de los estímulos del mundo dejarían de incordiarme. Si me quitaran la nariz, la boca, la garganta, las yemas de los dedos, las palmas de las manos, la planta de los pies, el sexo. Si me extirpara por completo de mí misma, me sería mucho más fácil ser «yo» para mi madre.

Me decido a volver para no hacerla sufrir más. Habrá dejado de cantar mientras prepara las pastas, porque tiene que darse prisa y hacer todos los pasos ella sola; y, como si la estuviera viendo, ahora mismo estará suspirando, como siempre que se agobia, y quizá suelte algún *imma inu* de vez en cuando, que significa «madre mía», a pesar de que esta expresión no se utiliza como aquí. Es más un lamento, una llamada a la compasión y al socorro que una exclamación de sorpresa.

Ya he llegado de nuevo a la calle Montserrat, que es cuesta arriba, y me paro un momento frente a la escuela de música a contemplar el edificio modernista. Recuerdo a la profesora de primaria que sugirió a mi madre que me apuntara a aprender a tocar algún instrumento, piano o violín o cualquiera que nos gustara. Esta fue la tutora que había conseguido, después de mil gestiones y trámites y de consultarlo con la directora, el consejo escolar y con no sé qué otras instancias, que, un año después de haber llegado a la escuela, me cambiaran de curso y me pusieran en el que me correspondía por edad. Porque era inteligente, me había dicho ella, y porque, aunque pareciera que me pasaban de curso, porque de hecho cursaba dos en un mismo año, en realidad, como me habían puesto uno por debajo cuando empecé, iba a acabar haciendo el que me correspondía por edad. A veces, yo me sentía orgullosa de haber adelantado un curso, y me tomaba aquello como una prueba de mi inteligencia, aunque también podía sentirme ridícula, porque lo único que me reconocían es que era tan inteligente como los niños y las niñas que habían empezado a la edad que les tocaba. Pero la tutora, que era como una segunda madre para mí porque me había enseñado la lengua de aquí, la lengua en que ahora pienso, creía firmemente que yo podía hacer muchas cosas en la vida, que podría llegar tan lejos como me propusiera, me decía. El único problema era que, cuando tenía que hablar de mí con mi madre para darle su opinión sobre lo que yo debía hacer para llegar tan lejos como me propusiera, era yo misma quien se lo tenía que traducir. Y a mí me daba un poco de vergüenza, y me incomodaba, decirle que yo podía llegar muy lejos, porque eso significaba necesariamente alejarme de ella. La profesora me había pagado las clases de inglés en una academia, pero decidí dejarlo después de ir un par o tres de veces porque disfrutaba tanto aprendiendo una nueva lengua que me veía aún más lejos de mi madre y, en la oscuridad del piso del casco antiguo, en los días cortos de invierno, su sufrimiento y su soledad me pesaban demasiado. Después del fracaso del inglés, la tutora, que no se dejaba vencer fácilmente por las adversidades, sacó el tema de la música. Le gusta mucho la música… quiso que yo tradujera eso. Pese al poco conocimiento de la lengua que tenía mi madre, era bastante evidente que había entendido lo que le había dicho. A mí me daba vergüenza traducirle eso; en este caso, no por miedo a distanciarme, sino porque para ella solo las «partidoras de tareas» se dedican a cantar y bailar, las que no valen nada, las que no son valoradas por sus familias, las que ni se casan ni tienen hijos, mujeres de las que no hablan bien en ninguna parte; son las desterradas las que se dedican a eso. O los locos que van pidiendo por la calle tocando la *camanya*. Marginadas de vida disipada, eso eran las músicas para mi madre, aunque ella, muy bajito, cantara para sí misma con una sensibilidad profunda e hipnotizante. Está claro, las mujeres cantan y son expertas en coger el pandero y moverlo mientras improvisan versos sublimes, que celebran cuando les quedan redondos. En las fiestas se desafiaban las unas a las otras y a mí, ahora, delante de la escuela de música a la que no he asistido nunca, me da envidia que la música de los cristianos se pueda escribir y se la puedan transmitir los unos a los otros sin necesidad de que nadie te la enseñe. No consigo rescatar de la memoria la música que se cantaba en las fiestas y tampoco sería capaz nunca de crear versos como aquellos, tan bien trabados, que eran originales pero a la vez seguían un esquema, una tradición, una idiosincrasia propia. Aquellos versos... cuando los recuerdo, siempre me parece que esos versos dicen cosas que yo aún no he entendido y que la gente entiende sin especificar su sentido; son versos que simplemente se recitan y todo el mundo sabe lo que quieren decir aunque nadie se ponga a desentrañar su significado. La cantante que mi madre solía escuchar cuando estábamos allí abajo era Mimount n Serwan, que en la carátula del casete aparecía peinada con la raya al lado y el cabello con unas ondas naturales. Nunca habría pensado que ella fuera una «partidora de tareas». Su voz melancólica decía «llueve, llueve», pero quizá sería más exacto traducirlo por «cae la lluvia, cae la lluvia» si no fuese porque en la lengua de mi madre no hay ninguna manera de decir que llueve sin decir que «cae la lluvia», de modo que lo banal es también poético, y no se me ocurre ninguna forma de transmitir ese sentido más elevado que tiene la canción. Cae la lluvia, la lluvia, y después un verso que recuerdo exactamente pero que no sé qué quiere decir, ni de una manera literal ni de ninguna otra. Este vacío me desconcierta, sobre todo porque hace muchos años que intento averiguar su significado, pero yo ya no tengo un entorno donde todo el mundo hable la lengua de mi madre para poder ir adquiriendo más vocabulario y descifrar sus complejidades; yo ya no soy de la lengua de mi madre. Menos mal que justo después viene uno de esos versos claros como el agua: «si me hubieras visto, llorarías lágrimas», una redundancia que no lo es en la forma de hablar de mi pueblo de origen.

Hacia eso vuela mi pensamiento en el ratito que paso contemplando la escuela donde no aprendí nunca a tocar un instrumento, y de repente veo que por la puerta sale alguien que conozco. Pero no me doy cuenta de que es él hasta que A está justo delante de mí y veo que me mira con sus ojos intensos; es entonces cuando me pongo roja, a pesar de que él no lo nota porque cuando me pongo roja no lo nota nadie, solo yo por dentro. Si pudiera reaccionar con total coherencia, si fuera consecuente con lo que ha ocurrido estos últimos tiempos en que he sido consciente de la línea en medio del cuerpo, la herida en la cabeza, etc., seguramente lo tendría que abrazar. Verlo es como ver a alguien al que se daba por muerto, pero me freno, al menos, freno mi cuerpo, ya que supongo que no puedo frenar ni mis ojos ni mi expresión, porque toda esta historia es mía y solo mía. Él no sabe nada y, aunque nuestra relación fue muy particular, no sería justo que ahora me tirara a sus brazos solo porque me alegro mucho de verlo. Echarlo de menos como nunca antes había echado de menos a nadie, de una manera tan tópica, pero real y dolorosa, tampoco justificaría que me pusiera ahora a hacer una demostración de afecto desmesurada. Además no puedo, las cabezas rizadas y los hombres con bigote están por todas partes, y solo faltaría que ahora, a pocos meses de la boda, me vieran en medio de la calle abrazándome a un *amyiuf*, que es lo que suele decirse de las personas y los animales que mueren fuera del islam. Él me mira con sus ojos pequeños, y, si no fuera porque me obligo a aferrarme a la humildad, diría que también se alegra de verme. Sonríe, y se me pasa por la cabeza que quizá él también quiera abrazarme, pero ninguno de los dos hace ningún movimiento, solo hablamos, como hemos hecho siempre. Me comenta que ha ido a ver un concierto de alguien que conoce y me pregunta enseguida que qué hago. Aún nada, le contesto, y noto cómo la línea perpendicular me late, me noto esa luz llena de colores interiores que quiere salir. Le cuento que trabajo, que aún no he decidido qué hacer. Puedes «hacer lo que quieras», me dice, y yo no sé si, en realidad, me intenta decir algo más allá de esas cuatro palabras. Por un instante pienso que lo único que habría querido, quedarme todas las horas del mundo hablando con él en aquella habitación oscura de paredes húmedas, es precisamente lo que no he podido hacer. Me sigue mirando sin tregua y a mí todo se me hace de una intensidad insoportable. Cae la lluvia, la lluvia, canta la serwanense dentro de mi cabeza. Mi madre, sola, invocando a su propia madre y, si ya está lo bastante desesperada, invocando también a su abuela, con esa expresión tan típica: «madre de mi abuela», que quiere decir «madre mía, que hija eres de mi abuela» y sirve para pedir toda la compasión del mundo. Y yo aquí, en medio de una calle ancha y ante un hombre que me trae el recuerdo de un mundo que ya no es el mío y un dolor insoportable, de derrota. Mi amor sin casa, el verso de la poetisa que él tanto admira, la que me presentó como referente existencial porque ella fue tres veces rebelde y cabe suponer que yo pueda serlo cuatro. No le he dicho que me caso, pero le explico, a ver si así deja de mirarme como me miraba siempre, la experiencia con la ETT y los pisos. Se solidariza conmigo y le entra la típica indignación de las personas sensibles a las injusticias sociales. Es increíble, dice. Lo miro y lo escucho sabiendo cómo será su discurso a partir de ahora: palabras bien colocaditas unas detrás de las otras que salen de su cabeza y llegan a la mía, porque yo de corazón a corazón ya no puedo hablarle. Si me hubieras visto, llorarías lágrimas, sigue la canción. A es sincero y honesto, su indignación es real, pero cuanto más habla más me pregunto si en el fondo, en el fondo, sería capaz de hacer algo por mí. ¿En qué medida podría comprometerse con esa idea tan clara que tiene de que yo merezco un futuro mejor, de que debo vivir una vida diferente de la de mi madre, mi abuela y todos mis antepasados? Admito en silencio que no es el tipo de persona que estaría dispuesta a hacer ninguna heroicidad; por eso mismo mi piel volvió a cerrarse sobre sí misma. Tú no me salvarías del dragón, pienso, por más que hayamos hablado del amor. Repite una vez más hasta qué punto le parece increíble que a alguien como yo le pasen cosas como estas. Lo que es increíble, pienso, es que estés frente a mí, tan real, y no seas capaz de ver ni por asomo mi herida. Y que mi amor siga, todavía, sin casa.

Mi madre y yo hemos cogido esta mañana el tren temprano, casi de madrugada. Hace algún tiempo que se levanta antes del alba para rezar la oración del *fayr*. Últimamente le ha entrado la manía de convertirse en una buena musulmana, como si no lo hubiera sido desde que nació y su padre le recitó la *chahada* al oído el séptimo día desde su nacimiento, pues se deja pasar un tiempo prudencial antes de poner nombre a las criaturas. Bueno, no sabría encontrar la palabra exacta, no existe en esta lengua. Sería el equivalente a bautizar, pero no tiene nada que ver. No sabría ni decir el infinitivo de ese verbo, solo puedo decirlo flexionándolo porque en la lengua de mi madre los verbos no parece que tengan algo tan inútil como un infinitivo. *Itsemma*, dar nombre, que quiere decir celebrar una fiesta de nacimiento para festejar la vida de un recién nacido y dotarlo a la vez de una identidad, de una futura personalidad que tal vez vaya ligada a ese nombre. Ahora ya no, está claro, los nombres tan árabes que se estilan están alejados de las mujeres, y sus significados apenas si se intuyen. Pero se continúa con la tradición de no poner nom-

bre a las criaturas hasta pasados siete días de su nacimiento. Se supone que antes les puede pasar cualquier cosa y que no vale la pena hacerse ilusiones
poniéndoles un nombre que la madre recordaría
siempre. Dicen que, en esa semana decisiva, muchos
niños mueren o son raptados. ¡Ay, malditas palabras,
tan imprecisas! Tampoco es «raptar» lo que les pasa
a los niños que no acaban la primera semana. *Ituajjef*
es una palabra casi prohibida, las mujeres se tapan la
boca cuando la emiten y solo lo hacen si es absolutamente imprescindible. *Ituajjef* significa que uno es
secuestrado por un tipo de seres cuyo nombre es aún
más tabú, más impronunciable, hasta el punto de
que yo apenas los he oído nombrar. Diría que son
como los *yins* pero más peligrosos, también menos
definidos, de formas más vagas, y en el habla de las
mujeres son una especie de agujeros negros miste-
riosos. Por eso, cuando se atreven a decir *ituajjef*, a
mí, más que raptados, me parece que deben de ser
abducidos por una especie de ser sobrehumano. El
caso es que hay momentos en que las personas somos
más propensas a sufrir estas abducciones, y por eso se
extrema la vigilancia; uno de esos momentos se da
después del nacimiento. Aun así, a mí siempre me ha
llamado más la atención esa curiosa idea de no poner
nombre a los hijos hasta que no se sepa seguro que
podrán vivir. ¿Sin nombre aún no se es persona y así
la pérdida es menos dolorosa? ¿Lo es menos el recuerdo de la madre que ha perdido a su hijo por el
simple hecho de que no pueda fijarlo en la memoria
como fijaría a un hijo registrado?

Menuda cabeza que tengo, enseguida me dejo

llevar; y todo por pensar en esas novedades en la vida cotidiana de mi madre, en esa nueva idea suya de hacer un esfuerzo para ser algo que ha sido desde siempre, desde que, en su séptimo día de vida, el abuelo le susurrara al oído la *chahada*, la profesión de fe, y la convirtiera en una nueva seguidora de la religión de Mahoma. La verdad es que hasta hace poco ha sido fácil ser musulmán. De pequeño te dicen que solo hay un dios y que Muhammad es su mensajero y ya está. Mi madre rezaba las oraciones cuando podía, ni mucho menos cuando tocaba, porque eso solo lo hacían los viejos, que no tenían otra cosa que hacer. Las posponía hasta que tenía tiempo, así que, a menudo, se le juntaban las cinco en un solo momento, largo, de un profundo silencio solo roto por sus bisbiseos. Pero ahora dice que no, que alguien le ha dicho que no valen lo mismo las oraciones hechas cuando debe ser que las que se hacen en otro momento. Y yo me pregunto, ¿qué sentido tiene todo esto, qué quiere decir que cuente más o menos? En todo caso, después de siglos de hacerlo así en el lugar de donde venimos, es extraño que, de repente, muchas mujeres sientan que lo que hacían ellas y sus antepasados no era lo correcto. Porque ahora ya no es suficiente con recitar la frase y no hacer daño a nadie, ni con intentar cumplir como sea los preceptos, sino que además hay que querer ser mejor musulmana. Eso es lo que le dicen algunas mujeres cuyos maridos van a la mezquita. En este caso la palabra no es acertada, pero no por falta de correspondencia entre una lengua y la otra sino porque la realidad a que hace referencia la palabra «mezquita» está tan alejada del sentido original que resulta ridícula. Una mezquita es un templo sagrado, regio, digno, un especie de faro que hay en todos los pueblos del país de donde venimos, con su minarete levantado en medio de los paisajes baldíos, su patio interior alicatado, con una fuente central para lavarse los pies, sus alfombras espesas y suficiente espacio para dar cabida a los habitantes del pueblo que se reúnan tanto para rezar como para discutir y hablar de cualquier cosa. Lo que aquí se llama «mezquita» es un local sombrío y lleno de humedades, con los zapatos de los fieles esparcidos a la entrada y el suelo enmoquetado en un color gris sucio. Un local poco ventilado donde un imán venido de no se sabe dónde predica lo que cree que debe de ser un musulmán en una tierra tan llena de peligros y tentaciones como esta donde nos ha tocado vivir. Al principio era un hombre de nuestro mismo pueblo el que encabezaba las oraciones, pero desde hace unos años lo ha sustituido uno de barba larga, venido de Bélgica pero rifeño, y que se pasa el día hablando de cómo tienen que ir vestidas las mujeres y, sobre todo, sobre todo, las jóvenes hijas de los musulmanes que crecen en estas tierras de excesiva libertad.

Así que ahora mi madre reza las oraciones cuando debe ser. Compró, donde el carnicero de la plaza dels Màrtirs, un reloj horroroso en forma de gran templo que llama a la oración cuando es la hora. ¡Venid a la oración, venid a la salvación!, eso es lo que ha dicho de madrugada en la habitación de mi madre, como cada día, y por eso hemos podido coger el primer tren que salía hacia Barcelona. Yo, mientras recorríamos el camino hacia la estación, no he podido evitar sentir cierto desasosiego, una angustia extraña al recordar mi escapada frustrada, frustrada por mí misma, desde luego, un fracaso en toda regla. Mientras llegábamos al andén repasaba mentalmente mi camino de aquel día, y de repente me he visto cambiada, muy alejada de lo que yo era entonces. Aunque solo haga unos meses de aquello, ahora me parece que vivía en otro mundo, en otra vida que no tiene nada que ver con la que tengo ahora. Incluso me ha parecido que tuve suerte, suerte de poder elegir y elegir quedarme con mi madre.

El tren que nos lleva es de los antiguos, uno de esos con los asientos blandos y cómodos pero sucios y con olor a meados. Quizá no sea olor a meados y sea solo lo que ha quedado del trasiego continuado de las personas que se han sentado en estos vagones, personas de muy diversos lugares, de las montañas, de las llanuras, de pueblos y ciudades, personas de maneras educadas y finas y otras más groseras, que ponen los pies en los asientos. Gente de todo tipo que ha dejado su huella olfativa en esta tapicería. ¿La humanidad es eso, entonces? ¿Olor a meados?

Ni mi madre ni yo nos decimos nada cuando el tren ralentiza su marcha al pasar por encima de ese puente tan alto en medio de las montañas, justo después del túnel, el puente por donde no pueden circular dos trenes al mismo tiempo, y el hecho de que el convoy reduzca la velocidad al mínimo hace más palpable la sensación de peligro que provoca el vértigo de verse tan arriba. Pero ni mi madre ni yo hacemos comentario alguno. ¿Qué podríamos decir, *ua aiau*?

Salimos a la superficie en la plaza de Catalunya y la luz y el bullicio de la gran ciudad nos desbordan. A mí me inunda una tristeza fugaz al recordarme a mí misma dando marcha atrás después de haber decidido hacia dónde quería dirigir mi vida; pero esa tristeza me dura poco porque el alboroto, los edificios altos y la gente que tiene que correr para cruzar el paso de peatones porque las calles son tan anchas que no se puede cruzar de una acera a otra antes de que el semáforo vuelva a ponerse en rojo, todo eso, me estimula, me produce un optimismo poco usual en mí, y, de pronto, acuden a mí aquellos presentimientos que he ido abandonando última-mente: aquella certeza de que este sería un lugar donde yo podría vivir. Veo a la gente que camina sin ser reconocida por nadie, sin ser parada ni saludada. Nadie sabe dónde va nadie, nadie sabe qué hace na-die y las posibilidades de hacer cosas, de tener otras vidas, parecen infinitas. Me siento tan invadida por ese optimismo que pienso por un instante que quizá todavía estoy a tiempo, que aún podría desandar mi camino y trazar el que me parezca más conveniente. Son tantos los pensamientos positivos que llego a imaginar que podría hacerlo todo, podría vivir una vida mucho más mía en medio de la ciudad y hacer que mi madre viniera conmigo, pedirle a ella que se adaptase a lo que yo sé que me haría feliz. Me pre-gunto: ¿Y por qué no? ¿Por qué no podemos vivir aquí, hacer lo que nos parezca y no tener que dar explicaciones a nadie? No tenerme que casar con nadie, ni seguir el camino que se supone que tengo trazado por un mandato más colectivo que divino.

Todo esto me pasa por la cabeza mientras tratamos de orientarnos desde la salida de la estación, intentando averiguar hacia dónde tenemos que ir. Contemplo la rambla de Catalunya, el paseo de Gràcia, las palomas que se arremolinan alrededor de cualquiera que les dé de comer en la explanada. Me deslumbra el sol y aún pienso que todo es posible. Podría hacer partícipe a mi madre de lo que ya sé de la ciudad y de lo que quiero aprender de ella. La llevaría por la Gràcia de la Colometa, por el Eixample de la Mundeta, a la universidad de Pla y de tantos otros, le enseñaría el mapa que llevo tiempo dibujando con las lecturas donde aparece la ciudad. Podría enseñarle a leer y así, algún día, después de muchos esfuerzos y mucha práctica, podría llegar a leer los libros que a mí me han marcado y por fin entendería mi mundo y vería que, en realidad, no es tan diferente del suyo.

Estoy a punto de decirle: dejemos los papeles, olvidémonos de la Delegación del Gobierno, vayamos a pasear por estas calles amplias donde no nos conoce nadie y disfrutemos de la suerte de estar aquí. Solo de ponerme a pensarlo, yo misma freno en seco mi optimismo: ni siquiera sabría cómo explicarle todo eso en su lengua, no tengo la capacidad expresiva que tienen las mujeres de nuestro pueblo de origen, no sé transmitir maravilla o admiración, ni desazón o duda. No me hará falta buscar las palabras. Cuando detengo mis pensamientos porque no sería capaz de dar con la traducción adecuada, la miro y la descubro agobiada, perdida. Para ella los ruidos, los grandes edificios y estas calles están fuera de la proporción que le resulta cómoda, no puede ser como ella es. A mi madre la gran ciudad le desdibuja los contornos y hace que pierda por un momento su presencia regia. Me pregunta, ¿hacia dónde? ¿Tú sabes hacia dónde tenemos que ir? ¿Por qué no lo preguntas?

No me ha hecho falta preguntar, sabía que teníamos que mirar hacia el mar y bajar por las Ramblas. Las estatuas la asustan cuando alguien les echa una moneda y se mueven.

En la avenida del Marquès de l'Argentera, la Delegación del Gobierno está rodeada de personas que guardan fila. Gente de todos los colores, que hablan en todos los idiomas, vestidos de todas las maneras posibles forman una hilera tan larga que da la vuelta a ese enorme edificio. Este sí que es nuestro país, pienso, el de los inmigrantes que en todas las partes del mundo deben de soportar las mismas colas. Algunos tramitan los papeles por primera vez, se les nota porque tienen un brillo reconocible en los ojos que, con los años, se va apagando. Otros, como yo, venimos a pedir que nos dejen traer a un familiar desde nuestro país, un marido o unos hijos, que es hasta donde consideran aquí que debe llegar la familia de un inmigrante, porque más allá no es posible reagrupar a nadie. Me digo a mí misma que tengo unos cambios de humor que no son normales, y trato de encontrar una explicación hormonal a este descenso abrupto de mi estado de ánimo. De repente es como si la ciudad me hubiera expulsado hacia sus márgenes, los márgenes que suponen esta cola infinita donde mi madre y yo esperamos pacientemente entre desconocidos con quienes seguramente tengamos más en común que con los desconocidos que pasan por la otra acera de la avenida. Los policías que, a caballo, pasan junto a nosotros para controlar que nos coloquemos bien y que nos arrimemos a la pared hacen que me sienta más aún de un lugar que no es tierra para nadie que se considere persona.

Me acerco al Sucre, un gran edificio recién reformado y, para expulsar la inquietud que me embarga, huyo mentalmente a un espacio mucho más pequeño donde he pasado tantas tardes, la Alberguería. Desde casa solo tengo que bajar por la calle dels Dolors para llegar a ese antiguo refugio destinado a gente de paso, que han convertido en sala de exposiciones. La verdad es que pocas veces me han llamado la atención los cuadros y las esculturas que exponen allí, y siempre pienso que no tengo lo que hay que tener para entender el arte, y también que ese defecto tiene que ver por fuerza con mi procedencia. Pero, como lo que siempre me ha gustado de ese lugar, medio oculto entre piedras milenarias, ha sido su silencio, la densidad del aire entre sus gruesas paredes medievales y el olor a siglos remotos, ver las exposiciones ha sido más una excusa para poder pasar allí un rato que el verdadero objetivo de mis visitas. En la catedral he tenido un poco esa misma sensación, pero, claro, si me hubiera dejado ver por allí a menudo, alguien habría pensado (¡ay, lo peor que le podía pasar a una buena muchacha marroquí en tierra de cristianos!) que finalmente me había convertido a la fe de nuestros vecinos. Y, de todos modos, la Albergueria es más acogedora, sus dimensiones son más abarcables. Voy repasando mentalmente todo esto solo para olvidarme de los latidos de mi corazón, que son tan fuertes que amortiguan el resto de ruidos que me llegan desde fuera del cuerpo. ¿Qué he venido yo a hacer aquí? En mi cabeza resuena la frase que he escuchado tantas veces a las mujeres cuando alguien hace algo que le supone un esfuerzo, un sufrimiento o una complicación que no le servirán para nada: *min jam ichedden*? Pero, por más que busque una correspondencia, soy incapaz de encontrar una frase que describa este tipo de situaciones. ¿Quién te manda meterte en semejante fregado? ¿Qué vas a sacar de todo esto? Pero en la lengua de mi madre es más visual: ¿Qué te lo ha atado encima? Y en mi deambular mental para conseguir una posible traducción literal de la frase me traslado a parajes rurales con bestias que llevan atados encima grandes bultos y a mujeres con fardos a la espalda. Pero el corazón me va tan deprisa y sus latidos son tan ensordecedores que no consigo huir de la realidad.

En esta ocasión, mi madre no me ha dicho *min jam ichedden*. Pero no es propio de ella no advertirme del peligro que supone meterme donde no me llaman. ¿Y dices que quieren que hables de los problemas de los marroquíes?, me ha dicho con aquel tono sarcástico que tan bien le sale, que tan bien les sale a las mujeres marroquíes en general. Y, para dejarlo claro, rematan la frase chasqueando la lengua. Por supuesto, a veces ese chasquido de la lengua también puede querer decir que están de acuerdo con lo que ha dicho la otra, que han entendido su mensaje. Siempre me ha fascinado este sonido que no podría reproducirse mediante la escritura, ni siquiera a través de una transcripción fonética. Las chicas que han crecido allí saben introducirlo en sus discursos con naturalidad y le sacan un efecto comunicativo muy eficaz, pero yo, que soy una pésima hablante del idioma de mi madre, no me he atrevido nunca a chasquear la lengua. No sé hacerlo. Lo probé una temporada escondida en el lavabo de casa, ante el espejo, pero el sonido que me salía me parecía demasiado chapucero, poco preciso comparado con el que hacían las mujeres. Y allí, quieta como un pasmarote ante mi propio reflejo, me sentí repentinamente forastera, incapaz de pertenecer al mismo grupo que mi madre aunque lo intentara y tratase de aprender. He aquí como un chasquido puede hacerte sentir desarraigada.

Y aún sigo dándole vueltas a todo eso cuando franqueo la puerta principal. Olor a Pladur; es decir, ningún olor. Antes de salir de casa, mi madre solo ha añadido: No les expliques que el principal problema de los marroquíes son los mismos marroquíes.

¿Y ahora cómo me lo monto yo para explicar cuáles son «nuestros» problemas sin decir que los propios marroquíes piensan de sí mismos que son por definición un problema? Si les atacan diciéndoles que son un problema, enseguida se defienden acusando a los demás de racistas, pero ellos mismos no dejan nunca de pensar que, en el fondo, tienen muchos defectos como colectivo, y se avergüenzan a menudo de las conductas de algunos miembros del grupo.

Entro en una sala con varios asientos dispuestos en círculo, como en un parlamento, un miniparlamento, y antes de poder sentarme oigo ya la voz de la hija del alcalde gritando desde la puerta. Estoy tan contenta de que hayas venido, de verdad, es tan importante tu presencia. Por un momento pienso que esta mujer no sabe nada de mí y que no tiene ni idea de si, una vez que me den la palabra, voy a empezar a soltar disparates. Ya lo verás, es un proyecto superchulo, toma, una carpeta, puedes sentarte donde mejor te vaya.

Me siento en la parte de arriba, quizá para no estar tan cerca del espacio reservado a las autoridades, y voy viendo como llega la gente. Muchos hombres, casi todos con americana oscura, algunas mujeres bien maquilladas, rubias, recién salidas de la peluquería, y otras no tan arregladas pero flacas y vestidas con ropa menos formal pero buena. La clase de prendas que no se compran en el mercadillo, desde luego. Una de ellas, que aprieta los labios como si se los mordiera por dentro, se acerca hasta donde estoy yo. Me felicita y yo le doy las gracias, aunque no sepa por qué me felicita. Me dice que había trabajado en la escuela a la que yo fui y que tiene parientes que trabajan en mi instituto. Me pregunta qué hago ahora. ¿Qué hago ahora? Lo pienso un poco; no le puedo decir que trabajo, que intento hacerle la vida más fácil a mi madre y que me preparo para casarme con un primo mío que podrá emigrar gracias a que yo le haré los papeles. Todo eso serían evidencias de mi falta de integración en unos valores que no son los nuestros: más individualismo, más mirar por uno mismo, inaceptable renunciar a lo que se quiere para hacer el bien a los demás. Le contesto que me he cogido un año sabático. Y quedo como muy intelectual. Sigue así de valiente, me dice, y yo no tengo ni idea de por qué aprobar la selectividad con buena nota significa ser valiente.

Al cabo de poco tiempo entra el imán de la mezquita acompañado de un par de hombres marroquíes y me pongo aún más nerviosa. Nosotras, por ser mujeres, no podemos tratar con el imán, y, además, como es un buen musulmán, supongo que no le gustará demasiado que yo esté aquí, entre tantos hombres (y, encima, cristianos), y menos aún que, en algún momento, deba dirigirme a todos ellos. Antes de que se dé cuenta de que lo estoy mirando tengo tiempo de comprobar que lleva los ojos pintados. Barba larga y ojos tiznados.

Reviso la carpeta con el orden del día mientras se cierran las puertas detrás de un montón de hombres que se sientan en las primeras filas. Uno de ellos, que tiene la cabeza brillante y salpicada de manchas oscuras, se queda de pie frente al atril, saca unas gafas y una carpeta y empieza a leer un discurso. Bienvenidos al primer Fórum Intercultural. Diserta sobre las buenas intenciones del consistorio con este nuevo proyecto, explica que prácticamente somos la primera ciudad donde se pone en marcha algo así, un encuentro entre todos los agentes políticos, sociales y de las diferentes comunidades. Yo, visiblemente «diferentes» solo veo al imán, a sus acompañantes y a mí, pero quizá los otros estén camuflados. En un momento del discurso, el hombre que habla, que es el alcalde, dice que la inmigración no es un problema. Pero la sala tiene algo de eco y, durante un instante, continúa flotando en el aire el «problema, ema, ema, ema...».

Después cede la palabra al líder de la oposición, al presidente de la asociación de comerciantes, a la presidenta de las asociaciones de padres de las escuelas, etc. Enseguida comienzan a exponer sus quejas sobre la inmigración, en concreto la marroquí. Yo pienso que en estos momentos es casi la única que existe, pero como el foro es intercultural intento prestar atención a lo que dicen. Que no respetan los horarios, que hay que hacerles entender que tienen que cumplir las normas de aquí, que no pueden pretender imponer su religión.

Finalmente le toca hablar al imán. Se expresa correctamente en la lengua de los asistentes y explica que entiende el malestar que provocan sus «conciudadanos», pero que generalizar no es positivo para nadie. Habla con el micrófono en una mano y con la otra acompaña sus palabras con unos movimientos ondulantes que hipnotizan a la concurrencia. Hay de todo, dice, mirad si no a esta chica, que nos hace sentir orgullosos de ser lo que somos. Ella también es parte de nuestra comunidad... Y veo que me señala directamente a mí con la mano, y que todo el mundo se gira para mirarme. Yo ni me había dado cuenta, pero me he tapado la boca con la mano en cuanto ha empezado a hablar de mí, un gesto propio de las mujeres marroquíes, que cuando están ante desconocidos se llevan una punta del pañuelo, o la mano, a la cara y se tapan la boca como si fuera una indecencia ir enseñándola por ahí. De hecho, hace rato que la tengo así porque, mientras hablaba el imán (tan elegante y seguro de sí mismo, indiferente a las miradas estupefactas de los asistentes, algunos de los cuales deben de pensar que este no pinta nada aquí, quizá incluso complacido por la impresión que provoca entre quienes lo rodean), he acercado los dedos a la nariz y me he encontrado con el olor de las sardinas que he preparado hoy para comer; sardinas, ajo, cilantro, una mezcla de pimientas y especias, y la lejía que he usado después porque no soporto el olor de las sardinas. Todos esos olores se me han ido impregnando en la piel, y cuando el imán habla me siento más marroquí que nunca porque, de hecho, no hay olor más característico de nuestras mujeres que esa mezcla. Todo se sucede con rapidez y yo aún estoy entretenida con mis olores detestables cuando escucho que el alcalde dice que me cede la palabra. Cojo el micrófono, no sé si se me nota que tiemblo, rescato mi voz de ese lugar remoto donde se ha escondido y empiezo a hablar medio tartamudeando. Sardinas, ajo y lejía. Para salir del paso, me digo a mí misma que tengo que centrarme, tengo que decir lo que tengo pensado: si hablamos de los problemas de los marroquíes, que es de lo que me dijeron que se hablaría hoy aquí, creo que el principal es el de los papeles, después la vivienda y finalmente la formación para las mujeres. Los papeles hacen perder mucho tiempo y dan muchos quebraderos de cabeza. Que no nos quieran alquilar los pisos en según qué lugares es un problema importante, y las mujeres marroquíes querrían más clases para aprender a leer y escribir, pero que fueran solo para mujeres, porque, si también van hombres, ellas no pueden ir.

Cuando acabo esta frase, toda la sala se llena de un rumor inconexo. No consigo escuchar lo que dicen. El alcalde consigue que se callen y me contesta: me parece que no te han informado suficientemente bien sobre el objetivo de este encuentro: nos proponemos hablar de las relaciones entre las diferentes comunidades, y no sobre los problemas de una de ellas en concreto. De todas formas, te digo que los papeles son competencia del Estado y que desde aquí poco podemos hacer. En lo de los pisos tampoco podemos actuar, porque son los propietarios los que deciden a quién alquilan y a quién no. Lo que sí te puedo aclarar es que, en los últimos tiempos, desde el Ayuntamiento hemos llevado a cabo diferentes inspecciones para desalojar las viviendas que no reunieran las condiciones mínimas de salubridad. También hemos cerrado diferentes pisos patera, pero no podemos hacer mucho más. Me alegra oír que vuestras mujeres tienen ganas de formarse, y yo te pido que las convenzas para que se inscriban en los cursos de la escuela de idiomas y en los de la escuela de adultos, donde las atenderán encantados. Lo que de ninguna forma será posible es abrir grupos específicos para ellas, porque eso choca directamente contra nuestros valores culturales; para nosotros es imprescindible que hombres y mujeres vivan en igualdad de condiciones, y no podemos renunciar a este rasgo fundamental de nuestra manera de entender el mundo.

Cuando se acaba el debate, me entran ganas de marcharme de ese lugar, percibo en mi lengua un regusto a óxido que no sé, puede que venga de la indignación que me ha entrado al ver que no me habían invitado para hablar de los problemas de los marroquíes sino de los problemas que provocan los marroquíes. Me digo: anda que no eres inocente ni nada, y me viene a la cabeza de nuevo la frase: *min jam ichedden*. Pero, cuando ya estoy a punto de salir, la hija del alcalde me alcanza y me pregunta si puede hablar conmigo un momento.

Me dice que, seguramente, el Ayuntamiento pronto necesitará una mediadora y que habían pensado en mí. Yo le respondo: pero si ya tenéis una, ¿no? Es la que me avisó para que viniera. Y, además, pienso por dentro, también tiene estudios universitarios, domina todas las lenguas de los marroquíes y las de los no marroquíes de la ciudad, es amable y cordial, y tanto los hombres como las mujeres le tienen un respeto que supera incluso la envidia que les pueda provocar que trabaje para la Administración. Sí, pero pronto estará de baja, está embarazada. Además hay otro problema. Cuando empezó con nosotros estábamos muy contentos, pero luego se casó con un chico de allí, no sé si un primo suyo o algo así, y cuando volvió de la boda empezó a ponerse el pañuelo. Y, claro, el pañuelo, en el Ayuntamiento... Hemos intentado hablar con ella, pero dice que se lo pone porque quiere y que no se lo quitará. Así que después de la baja por maternidad ya no seguirá trabajando para nosotros.

Me voy de allí con dolor de estómago, con una

amalgama extraña de sentimientos. Pienso que me haría ilusión hacer algo más que cocinar y limpiar, pero también me siento una traidora porque no me he atrevido a decirle a la hija del alcalde que me parece increíble que alguien con tan buen currículum no pueda seguir haciendo su trabajo solo por lo que lleva en la cabeza; no he defendido a la mediadora, aunque sé que dentro de poco seré yo quien se case con alguien de allí, con un primo o algo así.

Mi madre es una revolucionaria. Con tal de preservar las tradiciones, las cosas tal como siempre se han hecho y como se deben seguir haciendo, ha decidido que mi matrimonio será transcontinental, transmediterráneo, como el *ferry*. Una boda internacional. Porque tiene que quedar muy claro: si de verdad quisiera seguir las tradiciones me llevaría en burro hasta la casa del novio, vestida con una chilaba de hombre, de lana gruesa, y me cubriría la cabeza con la capucha, y acabaría pareciendo un miembro del Ku Klux Klan o un nazareno de la procesión de Semana Santa. Así se casó una de mis tías. Mi madre dice que yo no puedo tener recuerdo de eso, que quizá me lo hayan contado o lo haya visto en alguna foto, porque cuando esa tía se casó yo no tenía más de dos años. Pero yo puedo verla claramente encima del burro, sentada de lado, con las piernas muy juntas, y con una mano agarrándose a la silla por detrás y la otra sobre la falda. La mano roja sobre la falda era la única parte del cuerpo que se le veía, y a mí entonces las manos teñidas me parecían lo más fascinante del mundo. Me recuerdo con un redondel pequeño en la palma de la mano que la misma tía me había dibujado la noche de la henna, esa noche en que las amigas de la novia se quedan a dormir en su casa para ponerse todas juntas el amasijo verde en los pies y en las manos. Ahora que lo pienso, me parece que es lo más cercano que tenemos allí a una fiesta de pijamas, pero esto ya sería superponer un montón de información que adquirí después de aquella imagen que guardo en el recuerdo. Lo que sí recuerdo con nitidez es la angustia que todo aquello me produjo. La tía había vivido siempre con nosotros, pero a partir de entonces ya no lo haría porque iba a tener «su dormitorio, su habitación», su casa. Esta es la suerte que te desean las mujeres cuando eres joven y soltera: que Dios te dé un buen dormitorio. A medida que cumples años, pierden la esperanza de que la invocación surta efecto y pasan a desearte salud, que es lo más importante. Seguro que también me entristecía que la tía ya no viviera con nosotros, pero lo que me impactó, sobre todo, fue verla vestida de aquella manera, con la cabeza tapada como si fuera al matadero más que a «su dormitorio». Mi madre dice que eso es lo que pienso ahora, y que entonces no sabía tantas cosas como para verlo así, pero yo lo recuerdo así y puedo revivir, si me esfuerzo, la angustia que me provocaba ver que la tía no veía, que no le veíamos la cara y se dejaba llevar sin decir nada.

De todas formas, ahora ya nadie se casa así, dice mi madre. Ahora que si fotos, que si el novio y la novia se comen juntos unos dátiles, que si cogerse de las manos, que si el velo y el vestido y cohetes y coches tocando el claxon.

Se lo explica a Mumna en un tono que pretende ser de queja pero que no lo es en absoluto. Mi madre está ilusionada con la boda. Ha decidido innovar para conservar las tradiciones y celebraremos una boda internacional.

Los papeles llegaron no hace mucho: una carta que dice que a mi primo se le concede un permiso de residencia por reagrupamiento familiar y que dispone de un plazo de cuarenta días para ir a la Delegación del Gobierno que le corresponda para solicitar su tarjeta. La carta parece una burla, como si no supieran que mi primo no podría entrar en el país y decir: No, mire, si es que me esperan dentro para que recoja la tarjeta, como si no tuvieran en cuenta que para él la delegación más próxima está a miles de kilómetros. Por eso seré yo misma quien le lleve la carta que le permitirá solicitar un visado para poder cruzar la frontera, y desde allí me traeré a mí misma para él. Mi primo-marido podrá sentirse muy afortunado al recibir esos dos espléndidos regalos que le habrán llegado por el simple hecho de ser el sobrino más querido y deseado por mi madre. Y también porque por encima de lo que podamos desear él o yo están la familia, las tradiciones y el bien que nos haremos todos con esta unión.

Empezaré casándome aquí, en esta tierra que no es la nuestra pero en la que vivimos desde hace años mi madre y yo, y acabaremos la ceremonia al otro lado de un mar que solo nos ha servido para cruzarlo.

Hace unas dos semanas que preparo el convite. Lo preparamos entre las dos, aunque yo me haya especializado en hacer los dulces y, a ratos, Mumna ayude a mi madre. En este nuevo piso, que es más confortable aunque esté alejado del centro, ya no noto el olor a humedad. Esta construcción tiene más bien un olor neutro, una carencia de olor, aunque yo diría que de vez en cuando entra el de meado de cerdo. Aquí estamos más cerca de los campos, unas calles más allá comienzan esos campos de cebada que a finales de primavera forman un pequeño mar verde que se mueve en oleadas ligeras si sopla un poco la brisa

«Brisa»..., qué palabra. Ahora que estoy alejada del instituto, de los libros, alejada de todo, ahora me parece que esas palabras, que antes eran tan habituales dentro de mi cabeza, que saboreaba con deleite cuando me las encontraba casualmente y descubría en ellas significados que me habían pasado desapercibidos cuando las había leído, sin duda eran un exponente de mi pedantería, de una falta de sentido de la realidad, de una necesidad infantil de no conformarme con la realidad y quererla adornar con palabras bonitas. Estoy aprendiendo a conformarme con la vida que me ha tocado, y poco a poco voy olvidando esa manía de buscar emoción y refugio en palabras poco usuales, empleadas solo en la letra impresa o por quienes forman parte de un mundo muy diferente al mío, el de los intelectuales, los sabios, los literatos, los grandes maestros. ¿Qué sé yo de todo esto, siendo cómo soy hija de una analfabeta? Nada de nada; pero siguen acudiendo a mi pensamiento palabras como esa: brisa. «Brisa» es una palabra que me lleva irremediablemente al poema del déjate besar, que siempre es en los labios donde el amor perdura.

Y eso me hace pensar en el amor, en lo que es y en lo que no es. Y en aquellas conversaciones con A sobre su naturaleza, sus manifestaciones, sobre los diferentes conceptos del amor a lo largo de la historia. La historia occidental, por supuesto, porque la historia del mundo de mi madre no me la ha explicado nadie y he tenido que acabar conformándome con la idea de que por mi origen, clase y condición, el mío será por fuerza un amor prefabricado, pensado y diseñado por otros. Así me obligo a volver a la realidad y me alejo de esos pensamientos peligrosos que podrían hacerme dudar de lo que estoy a punto de hacer. No moriré, no, sin otro fruto que la brisa en las mejillas.

Pero no lo consigo, no consigo dominar estos pensamientos y ya vuelvo a estar en el despacho oscuro leyendo con A, comentando con él poemas y textos, movimientos, artistas y filósofos, hablando de la vida que se esconde detrás de cada frase. Allí me sentía acompañada, resguardada, a salvo de todo, pero al ser consciente de esos sentimientos no puedo evitar una enorme sensación de soledad. Me digo: qué ridículo era aquel estallido hormonal tuyo, tan adolescente, que te hacía vivir aquellas charlas insignificantes como si estuvieras dentro de una deslumbrante película de época, y en la cual cada gesto se convertía en un gran acontecimiento que después, ya en la cama, recordarías, recrearías y desmenuzarías hasta que tuvieras uno nuevo que supliera el anterior.

He comenzado a preparar el convite con esos pastelillos que se conocen como «de pisada», que tienen forma de media luna y recuerdan a una huella de pezuña. Compramos varios kilos de almendras al carnicero y las hemos utilizado para las pastas. Yo misma escaldé las almendras, y entre mi madre y yo las fuimos pelando. He comprado un molinillo de café eléctrico que nos viene bien para moler los frutos secos. He montado el relleno de las medialunas con azahar, canela, azúcar y almendra. He amasado la mezcla con mis propios dedos, pero ya ni siquiera el aroma del agua de flor de naranjo o la textura de la pasta me provocan aquellas sensaciones de antes, ahora tengo los sentidos más controlados y, a pesar de que la mezcla de los perfumes me siga pareciendo levemente agradable, para nada experimento aquella sensación de invasión y descontrol que me provocaban hace un tiempo. Como si el olfato se me hubiera ido cerrando y ahora pudiera protegerme mucho mejor del impacto de esos aromas. La línea invisible que me atravesaba de arriba abajo, ya casi ni me la noto, la llevo tan escondida que, en realidad, no sé si ha existido nunca. Nada, ni el más leve estremecimiento, ni en los labios, ni descendiendo por el pecho ni agitándose en el bajo vientre. Por fin me he vuelto constante y disciplinada, y mantengo a raya todos esos elementos que me aturdían, me distraían y me alejaban de la realidad, del sentido práctico que debemos tener mi madre y yo para seguir adelante. Si ella se hubiera dejado llevar por sus impulsos yo no estaría aquí y no habría podido vivir como he acabado viviendo. Casarme con mi primo no es un precio demasiado alto si tenemos en cuenta cuánto se ha sacrificado ella por mí.

Así que me he pasado casi un día entero preparando medialunas, me he levantado temprano y he acabado tardísimo. Las hemos querido preparar más finas, menos rústicas, más para los paladares de las marroquíes inmigrantes, que se supone que viven con más recursos que las de allí abajo, que ya están acostumbradas a la abundancia «del extranjero» y no necesitan enormes porciones para notar que sus anfitriones las tratan con generosidad. Empieza a ponerse de moda una cierta contención en los convites, que no haga falta un despliegue tan desproporcionado de platos para demostrar que la familia en cuestión tiene medios suficientes para ofrecer un buen festín. Pero todavía cuesta, todavía hay más fiestas en las que sobra comida que de las otras. Ese miedo a que los comensales pasen hambre o de quedarse corto con la comida debe de estar tan arraigado en el imaginario colectivo marroquí que difícilmente podrán cambiar sus hábitos de la noche a la mañana. Pero mi madre es una pionera, una avanzada en la reformulación de las tradiciones, y ha estado de acuerdo en que hiciéramos pastelillos de medidas reducidas, para endulzar un poco el paladar de las invitadas más que para hartarlas, ha dicho. Por eso preparar las medialunas ha resultado tan agotador, un trabajo minucioso, venga estirar y estirar la masa con el rodillo hasta dejarla bien fina, para que se note más el sabor del relleno perfumado que el del envoltorio crujiente de harina.

Al final del día me pesan los hombros, los dedos no me responden como yo quisiera y tengo los brazos doloridos. A ratos me ha ayudado mi madre pero mañana se levanta temprano para ir a trabajar y, al final, me ha dejado aquí sola, en medio del comedor, con el rodillo, la mesa llena de bandejas todavía por llenar y la televisión encendida de fondo. La luz tenue del techo me despierta una repentina tristeza. Mejor, he pensado, así lloraré como corresponde a una novia, como debe ser.

Recuerdo haber jugado a las novias, hace mucho tiempo, en un mundo que ya no sé si existió, pero que aún insiste en devolverme imágenes, ruidos y aromas que ya deberían haber quedado sepultados en mi memoria, que tendrían que formar parte de una capa tan profunda que deberían haberse solidificado. Uno de esos recuerdos es el tacto de uno de los pañuelos de mi madre en la cara cuando jugaba a ser novia. Me tapaba la cara con él: me lo ataba desplegado detrás de la cabeza, y después lo giraba hacia atrás. Un velo, decíamos, un velo de novia. Jugaba con una vecina o una prima, una niña poco más o menos de mi edad de quien no puedo recordar ni las facciones ni la voz ni el nombre. ¿O quizá jugaba sola? Caminaba seria con el pañuelo-velo en la cara, triste y con los hombros caídos, como quien camina hacia un lugar adonde no quiere ir, y me sentaba en el fondo de la habitación, en la esquina, porque antes de que se pusieran de moda aquellos *mtarbaz* tan de ciudad, esa especie de sofás de espuma dura sobre maderas más o menos decoradas, antes de que a alguien se le ocurriera que la novia debía sentarse sobre una especie de altar situado al fondo de la habitación con todas las mujeres a su alrededor en el suelo, antes de eso, las novias se sentaban en las esquinas. A mí me daba vergüenza que si, por casualidad, mis tías, mi madre o mi abuela me encontraban, arrinconada en ese espacio tan confortable que forman dos paredes que se encuentran, me dijeran: ¿No me digas que te casas? Siempre me había dado vergüenza que me hablaran de bodas, sobre todo porque, parece ser que, medio en broma, nada más nacer yo, mi tío, el padre del primo que será mi marido, ya me puso una sortija de oro en señal de compromiso. Cuando lo contaban, las mujeres se reían porque nadie se puede prometer tan pronto, siendo un bebé, pero a mí no me hacía ninguna gracia. Así que siempre jugaba a ser novia a escondidas, y si me hubieran descubierto, la anécdota se habría convertido en un mito familiar, una de aquellas cosas que siempre se cuentan cuando nos reunimos.

Pero en ese recuerdo todas estas reflexiones no existen, solo se ve la representación de una escena que yo debía de ver a menudo en las novias del pueblo. En mi recuerdo está el tacto de aquel pañuelo semitransparente lleno de colores a través del cual yo miraba para poder llegar a mi esquina; una vez allí, levantaba el velo, y así el pañuelo se quedaba atado a mi frente y caía como una cabellera larga hacia atrás y yo, sentada en la esquina, intentaba llorar, porque en la esquina todas las novias lloran.

Ya ninguna novia llora, le ha dicho Mumna a mi madre alguna vez, y las dos han estado de acuerdo. Las novias lloraban porque no sabían adónde iban, pero ahora que los maridos se eligen, que son ellas las que deciden cómo tiene que ser la boda y a quién se invita y a quién no, ahora son ellas las que mandan. A nosotras ni se nos hubiera ocurrido pedir nada. Y llorábamos porque nos alejábamos de nuestra madre, de nuestro padre, y de toda nuestra familia, y sabíamos que a partir de entonces solo los veríamos en las fiestas o en ocasiones especiales. Y, si el marido era celoso, ni eso, no te dejaba. He conocido mujeres que, después de su boda, no han vuelto a ver a sus madres hasta que han ido a lavarlas y enterrarlas. *L-lah istar, L-lah istar.*

Pero mi boda no tiene nada que ver con eso, porque no es que yo no me vaya de casa de mi madre, sino que me quedaré a vivir con ella. Y, por si fuera poco, no será el novio quien me venga a buscar sino yo quien vaya a buscarlo a él, y, al menos al principio, no será él sino yo misma quien me mantenga.

De todos modos, sigo pensando en lo de poder llorar o no, porque, aunque nuestras circunstancias sean muy diferentes de las que vivían las novias de antes, recuerdo que cuando jugaba tenía un miedo horrible a verme allí sentada, con el velo en la cara, y pensar que, al levantarlo, pareciera que quería abandonar la casa de mis padres, que no se me viera triste, que en realidad alguien pudiera pensar que me alegraba de casarme. Sería una gran vergüenza, no sabía muy bien por qué, pero tenía interiorizada la idea de que si te alegrabas de casarte es que eras una «partidora de tareas». Exageraba el rictus simulando que mi desconsuelo era enorme, pero durante muchos años seguí teniendo el mismo miedo. Miedo a que descubrieran que, de hecho, tenía muchas ganas de ser mujer.

La música de *daq-sdaq*, que sirve para crear ambiente de fiesta, lleva todo el día sonando. Canciones con poco contenido, ligeras, que se repiten hasta el infinito pero que animan el ambiente. Mi madre no suele cantar ni bailar, pero una fiesta no es una fiesta sin este tipo de canciones. Ahora, además, ya traen incorporado de fondo los *yu-yus* de las mujeres, y a un volumen tolerable. Eso no ha impedido que Mumna, que se ha ofrecido generosamente a ayudar a mi madre en la cocina, haya emitido, al entrar esta mañana, uno de esos gritos guturales que lanzan las mujeres en días de celebración. Antes de que pudiéramos siquiera intuir sus intenciones, ha soltado un *yu-yu-yu-yu-yuuuuuu-yu-yu* cuya fuerza y estridencia ha ido aumentado progresivamente. Por si eso no fuera suficiente, Mumna se ha puesto la mano alrededor de la boca para proyectar mejor la voz. Mi madre ha corrido a decirle que no, que por favor no, que no estamos en nuestra tierra y no podemos hacer eso, pero ella ya había arrancado y no podía parar. Le ha soltado un *a zamchunt*, que vendría a significar «desgraciada», aunque también se dice de alguien que está solo. Siempre que pienso en esta palabra me imagino que debe de tener su origen en el hecho de que no hay ser más desgraciado que el que está solo.

No se puede decir que yo esté sola en estos momentos. Si algo no estoy, es sola. A casa han ido llegando mujeres que se han sentado en el comedor, lleno de *mtarbaz*, los que compramos al estrenar este piso, y un par que nos han prestado. Vienen con vestidos de fiesta, *qanduras* y *dfains*, que son los de dos capas. Todas llevan vestidos de colores llamativos, estampados y con lentejuelas, que son los que están de moda, y para protegerse de las miradas hasta llegar a casa se han puesto encima chilabas de colores lisos, anodinas y discretas. Pero normalmente las chilabas suelen ser más cortas que las *qanduras* y los *dfains,* que ahora se estilan, exageradamente largos y con las mangas muy anchas, de forma que van discretas hasta los tobillos y a partir de allí sobresalen las escandalosas telas que llevan debajo. Aunque, bien pensado, en esta ciudad es poco probable que una marroquí pase desapercibida, porque su sola presencia, con la cabeza cubierta y los ropajes largos, ya llama la atención de quienes han vivido aquí toda la vida y no entienden esta repentina presencia de forasteros.

Las mujeres entran y le dan la chilaba a mi madre, y ella las va poniendo en mi habitación, encima de la cama de matrimonio que hemos comprado. Otra diferencia sustancial con una boda tradicional: los muebles los he comprado yo y no el novio. Pero son de los baratitos, de esos que no se pueden desmontar porque, cuando intentas montarlos de nuevo, los agujeros para los tornillos ya se han ensanchado tanto que no sirven para mantener juntas las piezas. El cabecero de la cama es de conglomerado, con una chapa de melamina no demasiado bonita, la verdad, pero era el conjunto de cama y armario que nos podíamos permitir. Siempre será mejor que escuchar el chirrido de los muelles de mi antigua cama, que ya está en la basura.

Los regalos que traen las invitadas se van amontonando alrededor de la cama, a un lado, porque en el otro está la *neggafa*, la vestidora de novias, que ahora mismo me prepara el maquillaje de los diferentes vestidos que luciré a lo largo de la noche. Me angustia ver cómo se van amontonado las mantas de poliéster estampado *made in China* y los juegos de tazas que solo servirán para decorar las vitrinas, porque pocos marroquíes usan taza con platillo para el té o el café. Es cierto que también traen vasos de té, pero sobre todo mantas, miles de mantas que no sé dónde voy a poner ni para qué me van a servir. Las monjas del seminario, que están contentas de que me casase tan joven, que esa es una costumbre que la gente de aquí ha perdido y que por eso todo va como va y que nuestro señor no había pensado que las personas pasaran tantos años de su juventud sin el compromiso sagrado del matrimonio, me han hecho un obsequio mucho más práctico. Me han regalado trapos buenos para limpiar la casa; y los han hecho con unas sábanas viejas pero de un algodón tan bueno que en ochenta años apenas ha perdido prestancia. Las sábanas, las han cortado en cuadrados y después han sobrehilado los bordes. Estate quieta, me dice la *neggafa*, que es como yo, una chica nacida allí pero venida de pequeña aquí, y que ha decidido crear su propia empresa para vestir novias los fines de semana. Hizo una inversión importante comprando una colección de vestidos bastante espectaculares, con todos los accesorios. ¿Qué voy a hacer yo con tantas mantas? Ay, chica, ¿qué quieres hacer? Pues vuélveselas a vender al carnicero tal como han venido, a él es a quien se las han comprado, ¿no lo ves? ¡Si incluso hay algunas repetidas! Qué manía con las mantas. La verdad es que no les iría mal romperse un poco más la cabeza.

La vestidora se queja siempre de las mujeres marroquíes, de su falta de ambición y de perspectiva, de que no hacen nada para evolucionar. Estas piensan que todavía están allí, bañándose en el agua sucia de sus pozos. Exagera un poco, desde luego, pero porque ella intenta meterse solo en sus asuntos a pesar de las críticas y de las envidias. Desde que empezó a trabajar como vestidora, no han parado de difundir rumores sobre su verdadero papel en las bodas, unos rumores vagos que no concretan ninguna actuación específica pero que la ponen bajo sospecha, y le atribuyen alguna clase de poder maléfico. A mí su fuerza y sus ganas de trabajar para salir adelante, y lo de que siempre esté más atenta a su trabajo que a los chismorreos, me parece digno de admiración, y ahora mismo me da mucha seguridad. ¡Qué suerte que hayas venido, no sé qué habría hecho sin ti! Oye, ahora no llores, ¿eh?, que maquillarte los ojos me ha costado un buen rato. Y, además, tu madre tiene razón, casándote así te ahorras tener que hacer el convite allá, que es un lío y tienes que invitar a trenta mil personas que no conoces de nada y gastarte una fortuna para no parecer pobre. No, no, así mejor.

Me hace levantar y me ajusta el ancho cinturón, que está forrado con la misma tela verde bordada del vestido. Me coloca una corona sobre la frente que se me clava en la piel. Ahora tengo que desfilar por el pasillo hasta donde están las mujeres sentadas con la música de *daq-sdaq* puesta, esta debería ser la noche de llorar en un rincón con el rostro tapado por un pañuelo, pero no podré llorar ni aunque quiera porque apenas puedo mover un músculo sin miedo a que se me caiga todo lo que llevo encima. Y no me voy a un rincón sino a un altar, montado junto a una de las paredes del comedor, que la vestidora ha forrado con una tela que hace juego con el vestido que llevo y que se irá cambiando conforme vaya cambiándome yo de vestido. El decorado es en realidad para la foto, porque todo esto solo sirve para inmortalizar el momento.

Cuando entro en la sala observo que ya no cabe nadie más, está llena de mujeres más bien tirando a gordas con sus vestidos exuberantes y sus joyas de oro colgando del cuello, las orejas, las muñecas y los dedos. Van todas con los ojos tiznados, algunas con maquillaje, otras con los labios teñidos de corteza de nogal. Muchas llevan niños pequeños en el regazo, algunos están dormidos. Cuando entro se arrancan con un *yu-yu* tras otro, y a mí me entran unas ganas de llorar inmensas e inexplicables, pero es que los *yu-yus* y las manifestaciones en la calle son dos cosas que siempre me dan ganas de llorar. Pero no lloro, y sigo las indicaciones de la vestidora, que me hace dar una vuelta entre las mujeres mientras estas dan palmas muy animadas, algunas incluso se han levantado para bailar a mi lado y se mueven de una manera que a mí me parece imposible. Ahora se ha puesto de moda que las novias bailen, se ve que antes, como no es precisamente una señal de tristeza, las novias ni pensarlo, habría sido como bailar en un funeral. Pero las costumbres del interior del país, de las grandes ciudades donde las novias se casan para ir a vivir a la calle del lado, se contagian. En cualquier caso, a mí me quieren hacer bailar y yo, que no sé y nunca lo hago en las fiestas (un poco por miedo a parecer torpe y otro poco porque si está mi madre me da mucha vergüenza que descubra que bailo), levanto los brazos y me muevo un poco, a un ritmo mucho más lento que el de la fiesta, pero hay que entender que vestida así no puedo hacer nada más y, además, las novias deben bailar pausadamente, con elegancia.

Me miro las manos para no tener que mirar al resto de la sala. Las llevo rojas hasta la muñeca, y en un dedo llevo un anillo de hilo de donde cuelgan una concha cerrada y unas bolas de colores que me tienen que proteger durante estos días. No dejes que Mumna te ponga la henna, me advirtió la vestidora, no es de fiar. La vestidora, aunque sea práctica y moderna, da cierta credibilidad a algunas de las creencias de las mujeres e intuye que rodearse de personas con mal fondo te puede traer problemas. Mumna va a todas las casas, pero en algunas no es bienvenida, dicen que trae mala suerte, que invoca maleficios para hacer desgraciada a esa gente que después le pide remedios para curar los maleficios que ella misma ha creado y que así se gana la vida. También hay quién dice que lo suyo no es problema de brujería, sino que bajo los vestidos blancos de apacible mujer mayor (aunque yo sé de buena tinta que no es tan mayor como quiere hacer creer) esconde las mercancías que lleva de aquí para allá, y no se refieren precisamente a las joyas y a los vestidos típicos. Vamos, que todo el mundo sabe de algún traficante al que suministra el género; pero cuando aparecen estas historias, mi madre no se las cree y repite *L-lah istar, L-lah istar*, los maldicientes arderán en el infierno.

Mis manos rojas son obscenas, escandalosas, y finalmente sí fue Mumna la que anoche me puso la henna. Esta noche tendrían que haber venido a dormir mis amigas, pero yo no tengo amigas que me puedan poner la henna. Tampoco de las otras, les he perdido la pista después de dejar el instituto; además, tampoco podía hacer demasiadas cosas con mis compañeras cuando, después de las clases, salían a tomar algo o iban a bares o a discotecas. Ahora mis amigas son las monjas, que se alegran de verme cuando llego a la cocina del seminario y que siempre me preguntan qué hago; les hace gracia que les hable de cuando vivíamos allí abajo, porque les recuerda cómo eran las cosas cuando ellas eran jóvenes y les gusta que alguien de mi edad les pueda hablar de algo que a ellas les pasó hace tantos años. No, a las monjas tampoco les podía pedir lo de ponerme la henna, y la vestidora tenía trabajo en un restaurante donde hace algunas horas extras de vez en cuando y no podía venir. Así que tuvo que ser Mumna la que me pusiera la henna. La miraba cuando me tocaba los pies y me los embadurnaba con la mezcla verdosa, y me daban ganas de marcharme muy lejos. Muy, muy lejos, donde nadie me conozca y, así, no volver a ser nunca para ninguno de vosotros, ser solo para mí. Pero ya es demasiado tarde.

En vez de eso estoy sentada en el altar con mi corona y un velo bordado (bordado de mentira, es puro poliéster) que cae sobre el pelo, que ahora llevo suelto. Hace un rato llevaba un recogido muy sofisticado. La vestidora tiene una habilidad increíble peinando, maquillando, vistiendo y averiguando qué te queda bien y qué no, a pesar de que la corona dorada que me ha puesto se me clave en la frente. Pero no digo nada, me quedo quieta, ligeramente apoyada en el almohadón, con mis manos rojas sobre las rodillas, contemplando la fiesta de mi propia boda. Mi media boda, porque solo es de mujeres, y aunque lo más normal es que en casa de la novia haya más mujeres que hombres, tampoco suele ser habitual que no haya ninguno. A mi madre le habría gustado poder hacer el convite también para hombres, pero no ha podido ser. Había pensado enviar comida a la mezquita y que allí se celebrara una cena paralela para los hombres, como hacen muchas familias en las celebraciones: los hombres a la mezquita y las mujeres en casa, y así no es tan incómodo tener que buscar, en estos pisos tan pequeños, un espacio para las mujeres y otro para los hombres. Mi madre le ha dado muchas vueltas al asunto, y lo habría hecho si conociera a hombres marroquíes, si hubiera hombres de la familia viviendo en nuestra ciudad que le pudieran servir de enlace con el oratorio, pero no hay hombres de los nuestros que vivan aquí, y al final hemos tenido que celebrar una boda solo para mujeres. Unas mujeres que no desaprovechan nunca la ocasión de asistir a una fiesta porque, en su día a día de cocina, limpieza, compra y cotilleo, les quedan pocos espacios para ser ellas mismas sin más, sencillamente mujeres. En las fiestas, resguardadas de las miradas de los desconocidos, los de aquí y los de allá, son más ellas que nunca, se descubren las cabezas, se sueltan el pelo, parece que exhiban sus cuerpos para las otras mujeres y se hacen observaciones las unas a las otras. A veces en broma y a veces en serio, a veces con envidia y a veces con sincera admiración. Se elogian la manera de bailar, los peinados, las formas del cuerpo. Siempre que he ido a una de estas fiestas no he podido evitar pensar que todo eso tiene un aire bastante lésbico. Mi imaginación me lleva a pensar en esa amistad tan estrecha que tienen muchas de ellas, en esa relación tan íntima que normalmente no comparten con sus maridos, porque a los maridos hay que esconderles según qué cosas, no se puede confiar del todo en ellos, y pienso que tal vez consigan satisfacer sus necesidades afectivas, su deseo de amar y ser amadas a través de alguna de estas relaciones de amigas. No lo puedo saber porque nadie sabe lo que pasa en los dormitorios cerrados bajo las mantas, pero ¿y si aquel fortuito encuentro mío con Mumna durante la siesta fuera una práctica más habitual de lo que yo haya podido comprobar? Solo así se explicaría que tantas mujeres se casen con maridos que no conocen, y que los aguanten durante años sin que ellos piensen jamás en satisfacer a sus esposas, y, si lo intentan, nunca será como a ellas les gustaría, porque una mujer por decencia, por educación o por cultura, no explica nunca cómo quiere ser satisfecha.

Aquí sentada, en medio del alboroto de los panderos y los versos que van desgranando las invitadas, mi imaginación me ha llevado muy lejos. Por un momento, estas mujeres me dan mucha envidia porque yo no sé ni sabré nunca componer como lo hacen ellas, improvisando, riéndose a causa del gozo que les provoca esa creación literaria repentina, ausente de miedo. Una de las invitadas se sienta a mi lado y me susurra al oído: ¿Lo ves? Todo ha acabado bien, los escritos de Dios nos son desconocidos, pero todo acaba recorriendo su camino. ¿Quién os habría dicho a ti y a tu madre que acabaríais tan bien?

No sé por qué me dice eso, no sé si es porque ha llegado el momento de llorar y yo no tengo pinta de empezar a hacerlo todavía, no sé si simplemente es sincera y quiere expresarme la felicidad que le provoca ver que, a pesar de todo, mi madre y yo hemos salido adelante. O quizá su impresión sea la misma de todas las mujeres de la sala, que me miran y no dejan de recordar nuestra historia, una historia que todos los marroquíes de la ciudad conocen.

Nuestra historia, que jamás se menciona delante de mi madre, no es tan excepcional como piensan. Conociéndola, es de lo más normal del mundo, y yo a menudo ya no recuerdo nuestros comienzos aquí, nuestro segundo origen como familia. Ya hace mucho tiempo que creo que, de hecho, nos ha ido mejor así. No somos las primeras repudiadas del mundo, no somos las primeras mujeres a las que han abandonado. A mí me gusta más el verbo en la lengua de mi madre: *ismeh*, que quiere decir «dejar». Pues eso fue lo que pasó, que el marido de mi madre nos había dejado y nosotras aún no nos habíamos enterado. Si te dejan allí abajo lo descubres enseguida, tu marido no vuelve a casa, se va a vivir con otra y te acabas enterando porque es el principal proveedor de la casa y ha dejado de cumplir sus funciones. Pero como él vivía aquí, nosotras no supimos que nos había dejado hasta que llegamos. Hacía mucho tiempo que no nos enviaba dinero, pero eso era frecuente entre los primeros que emigraron a este país, porque no enviaban dinero a la familia hasta que encontraban un poco de estabilidad, y además nosotras vivíamos con los padres y el hermano de mi madre.

Como mi madre cuando quiere es una revolucionaria, decidió que teníamos que ir a buscar a su marido, pero al llegar aquí descubrimos que él ya tenía otra familia, y nos dijo, sin ni siquiera inmutarse, que él no nos había pedido que viniésemos a buscarlo. A partir de ahí, para mi madre todo fue un intentar ocuparse de mí y sobrevivir, pero sin apenas conocidos en la nueva ciudad, sin casa, sin dinero; sin nada. Igualito que el verso de la poetisa pero de manera literal: su amor sin casa.

Estoy en una estancia oscura donde no se ve nada. No es penumbra, no es falta de claridad, es la oscuridad absoluta sin ningún punto, aunque sea tenue, que me sirva de guía entre unas paredes que me son del todo desconocidas. En las casas tradicionales de aquí, las habitaciones tienen pocas aberturas, apenas un par de ventanas, con sus barrotes bien trabados al sólido adobe, que dan afuera, al exterior de la casa, y una puerta que comunica las habitaciones con el patio. Las ventanas tienen postigos de madera pintada de azul, y cuando por la noche se cierran y se cierra también la puerta, igualmente de madera azul, no se escurre hacia dentro ni un solo rayo de luna. Vamos, que ahora mismo el espacio donde estoy es impenetrable. Lo conozco, claro, es mi habitación, mi lugar en el mundo, el que han reservado para mí. En el techo hay troncos de árboles delgados, pintados de diferentes colores, que actúan como vigas. Las paredes están encaladas, pero tienen un zócalo verde turquesa que llega hasta media altura. Aquí lo llaman «azul», porque «azul» y «verde» son aquí la misma palabra, y no sabes nunca, a menos que te lo especifiquen, si cuando dicen «azul» quieren decir verde o azul. Pero con ese turquesa la palabra se hace exacta. Al fondo de la habitación, pasada la puerta, hay un *archam*, el baño, que tiene una pequeña ventana por donde, si se levanta la cortina que la cubre, sale el vapor cuando nos bañamos. En el otro extremo de la habitación han colocado esta cama de hierro forjado, que tiene un cabecero de lo más enmarañado y un colchón muy pesado. Es mi cama de novia. Y aquí estoy yo, tumbada junto a mi nuevo marido, apretando con fuerza los muslos, porque parece como si me hubieran agujereado y por ese agujero me pudiera escurrir como por un desagüe. Esa línea que me parte por la mitad, y que yo pensaba que tendría tan sepultada que no me volvería a molestar, resulta que ahora me late de nuevo, y la siento como si fuera un bulto sobre la piel: quema. Pienso que, si voy al baño y miro por la ventana pequeña, tal vez vea un rayo de luna, alguno que rebote en la superficie lisa de una hoja de aloe vera y que por casualidad ilumine esta minúscula estancia. Pero no me muevo por miedo a despertar al hombre que duerme a mi lado, que ronca feliz después de haberse desfogado. Mi marido-primo, conocido-desconocido.

Ahora podría llorar todo lo que quisiera, ya no voy maquillada, ya solo llevo los ojos de khol. Todo esto ya lo sabías; me lo digo para frenar las lágrimas, porque sé que si comienzo a llorar ya no pararé y lo despertaré, y entonces sí tendremos un problema. Cuando decidiste aceptar el trato, ya sabías que terminaría así, con un cuerpo desconocido que te penetraría por primera vez. Es lo que todos esperaban, que llegara el momento de tirar cohetes cuando se revelara el enigma de tu virginidad.

Durante toda mi vida había creído que no era virgen. No porque hubiera tenido sexo con nadie, sino por todas las cosas contrarias a la preservación del himen que había hecho. Saltaba, recuerdo que saltaba con fuerza, con alegría, en el suelo mismo o desde el banco de adobe que hay en el patio, o desde el algarrobo caído de afuera, o desde uno de los márgenes del río, desde donde fueran lo bastante bajos para que yo alcanzara. Recuerdo que saltaba a la comba, y después con las gomas cuando ya estábamos en la nueva ciudad, saltaba el potro en clase de gimnasia porque era obligatorio, me diera miedo o no. Me pasaba la vida saltando, y mi madre siempre repetía lo mismo: *a zamchunt*, desgraciada solitaria, no saltes que perderás tu *qandura*. Tardé años en descubrir que *qandura* no se refería al vestido, sino a algo que estaba dentro de mí y que debía guardar para cuando llegase el momento. Pero mi madre se dio cuenta de que no le hacía caso y por eso ella y la abuela decidieron asegurar mi virginidad cerrándome. Lo recuerdo como un hecho curioso y divertido, lleno de misterio, como un ritual mágico. Pusieron el brasero, que no se llama brasero sino *zamymaz*, y es hondo y de barro, en medio del patio, y sobre el carbón que quemaba fueron tirando sustancias extrañas que desconocía: azufre, hierbas, excrementos de paloma, todo aquello desprendía un intenso hedor que, de alguna manera, resultaba también agradable. Lo que yo tenía que hacer era muy fácil: me quitaron las bragas y me pidieron que me colocara sobre el brasero con las piernas abiertas, y que dejara que el humo me llegase. Lo que me llegó fue un agradable y reconfortante calorcillo al sexo. ¿Ya está?, preguntaba yo con miedo a que notaran que aquella experiencia estaba resultando placentera para mí; ¿ya está? No, un poco más, ¡venga!, un poco más. Yo ponía cara de ceremonia solemne y trascendental, pero por dentro lo celebraba.

Quizá aquello le dio a mi madre la seguridad de que a mí no se me caería tan fácilmente la *qandura* y de que, en todo caso, si yo intentaba que alguien me penetrara, si por algún terrible designio de Dios yo acababa tan alejada del camino recto que decidía mantener relaciones antes de casarme, o si alguien intentaba forzarme por la razón que fuera, descubriría que la protección que llevaba me haría prácticamente impenetrable. Y, aunque siguió diciéndome que no saltara, que no abriese las piernas ni siquiera para los estiramientos en clase de gimnasia, en el fondo mi madre se había quedado algo más tranquila.

Pero yo no, yo nunca lo he tenido claro. He saltado, he abierto las piernas durante los estiramientos y he corrido con los chicos en el patio; por eso, aunque no hubiera tenido ninguna ocasión para perder la virginidad —no he hecho que me penetraran ni me han forzado para penetrarme—, siempre había pensado que no era virgen. Porque, eso sí, yo me he dado todo el gusto que he querido, y eso a la fuerza debía tener consecuencias.

Durante algún tiempo, busqué toda la información que pude sobre la cuestión, en libros de ginecología donde se explicaba que cada mujer tiene un himen diferente, que no todas sangran cuando se desgarra, que hay mujeres a quienes se les rompe sin que se den cuenta. Acabé tan obsesionada con esa fina membrana que me disgustaba encontrar explicaciones tan vagas, tan generales. Me jugaba demasiado con aquel epitelio mitológico como para arriesgarme a que en la noche de bodas me pusieran una tela debajo y no cayera ni una triste gota de sangre.

Muchas chicas como yo se las han arreglado teniendo relaciones con sus novios antes de casarse y acordando con ellos que ya se las apañarían después para sacar una mancha de sangre de donde fuera. Es arriesgado, porque a más de una le ha ocurrido que el novio la ha descubierto la noche de bodas acusándola de estar desvirgada, con la vergüenza pública que eso comporta.

Yo no, yo no había hecho nada, pero me inquietaba la idea de dejarlo todo al azar, de que aquellas variaciones tan grandes que presentaban las mujeres descritas en los manuales de ginecología pudieran determinar mi honor y sobre todo, sobre todo, el de mi madre. Hace algunos meses, se me ocurrió una solución. Si necesitaban una gota de sangre, una sola, para demostrar mi honorabilidad, yo les daría un río de sangre. Empecé a controlarme los ciclos y, cuando nos llegó la carta para el reagrupamiento con mi primo-marido, fijé la fecha de la boda para que coincidiera con los días de la regla. No era una solución perfecta, porque con regla siempre quedaría alguna sospecha (dicen que la sangre del himen y la de la regla no son iguales), pero es preferible vivir bajo sospecha que arriesgarse a que la prueba salga negativa y la tela amanezca siendo aún de un blanco inmaculado.

Pero la noche del viernes, la de la henna, la regla todavía no me había bajado. La del sábado, la de la fiesta de las mujeres, tampoco. Durante el viaje en autobús hasta la ciudad de donde salía el *ferry*, aún no había en mis flujos ninguna oscuridad propia de la menstruación, por más que me limpiase y buscara algún rastro en el papel. A veces, los dedos rojos de henna bajo el papel higiénico hacían que viera un espejismo de sangre, pero cuando lo observaba más de cerca descubría que no había manera, que no me venía.

Una vez en el *ferry* que me llevaba hacia el novio, y sabiendo que solo me faltaban unas horas para ser recibida por mi nueva-vieja familia, salí del lavabo llorosa; la vestidora me vio y me preguntó qué me pasaba. Le revelé lo que me inquietaba y enseguida puso cara de entenderlo: no debía de ser la primera novia a la que le ocurría lo mismo.

Ven, vamos al bar. Pidió un licor cuyo nombre no entendí. Bébetelo de un solo trago. Estás loca, le dije, nosotros no bebemos. ¿Quieres llegar tranquila y relajada o no? Este método siempre funciona, ya lo verás; estás nerviosa y por eso no te baja, pero con esto... ¡Venga, va!

Un intenso ardor recorrió mi garganta abajo. El mismo ardor que ahora noto que me sube por entre las piernas.

Me lavé mil veces los dientes antes de bajar del *ferry* para que nadie pudiera notarme el olor a alcohol, pero la idea de la vestidora había funcionado y enseguida empecé a manchar.

¡Salvada! Igualito que si fuera un juego de niños: tocada, salvada.

Pero no era un juego, porque al llegar ayer a casa de mis tíos, entre *yu-yus*, panderos y cantos de mujeres, entre una nube de gente a la que no conocía de nada, entre fotografías, había otro altar, situado en el patio, donde juntaríamos nuestras manos y nos ofreceríamos leche y dátiles, donde estaba esperándome el novio. Un novio tan tembloroso como yo, imagino que también incómodo ante esa gran expectativa que se había formado alrededor de algo tan íntimo como nuestro inminente encuentro.

Estaba allí, en el altar, intentando hacer lo que me decían, pero mi cabeza se alejaba de ese lugar cada dos por tres. Reflexionaba sobre la enorme contradicción de una sociedad que, por un lado, considera el sexo un tema absolutamente tabú del cual nunca, bajo ningún concepto, se puede hablar en público, pero que, por otro, se presta a la obscenidad de una celebración en la que todo el mundo está pendiente del coito de los novios para, si se da la buena nueva de que la chica es una virgen inmaculada, festejarlo con una gran fiesta que incluye fuegos artificiales.

Pero, de vez en cuando, también me atrevía a levantar la mirada para fijar la vista en los ojos de mi primo intentando encontrar alguna conexión, algo que nos sirviera para establecer una complicidad que después hiciera más fácil lo que había de venir. Pero nada, es que no lo conozco de nada. Me pregunto si siente lo mismo que yo, que es absurdo que, sin saber nada el uno del otro, nos estemos casando; aunque me imagino que para él será lo más normal del mundo. El conocimiento vendrá después, nos sobrará tiempo, en los años que tenemos por delante, para saber si nos gustamos o no. La verdad, mejor será que nos gustemos, aunque, para que la cosa fuera bien, deberíamos de tener una disposición natural. Pero el papel de mi primo en todo esto no se parece en nada al mío. A veces he pensado que quizá esté enamorado de otra mujer y que se casa conmigo por conveniencia y que un día, cuando ya tenga los papeles arreglados y un trabajo en el extranjero, se divorciará de mí para casarse con la otra. Él no pierde nada con nuestra boda: gana una emigración que no tendría si se casara con alguien de aquí, y pronto ganará un trabajo; un cambio importante en su bienestar material y en el de toda su familia. Yo soy su ascensor económico. Por eso no dejo de preguntarme si realmente le gusto, si para él no será un sacrificio tener que hacerme de marido, si no existirán mujeres más del gusto de aquí que sean más guapas que yo. Mujeres de formas rotundas, de carnes generosas, con la piel blanca y un pelo negro hasta la cintura que haga temblar de excitación a su admirador cuando se lo suelte en la oscuridad de la habitación.

Ayer, cuando estábamos en la habitación, me solté el pelo. La luz del candil daba a la escena un aspecto fantasmagórico, y pensé que se me notarían más que nunca las ojeras, esos surcos oscuros que me han salido bajo los ojos después de tantas noches sin dormir o durmiendo mal. Él se desvestía deprisa y yo lo hacía lentamente, quitándome el vestido de novia blanco, el de los cristianos, y quedándome solo con el viso de debajo, la combinación, como la llaman algunas escritoras.

Todo fue más deprisa de lo que había imaginado. No tuve ni siquiera tiempo para tener miedo. Su cuerpo sombrío se abalanzó sobre el mío sin darme tiempo para que me pusiera cómoda; comencé a sentir sus jadeos en el cuello: me penetró. Todo aquello dejó en el aire un eco sordo y mortecino, y a mí el ardor me empezó a subir por el bajo vientre.

No tardó demasiado, y me miró un momento con una sonrisa forzada y me dijo: no llores. Pero yo ni siquiera sabía que lloraba, estaba inmóvil, rígida, como si me hubiera muerto. Aún sigo así, ahora que debe de ser noche cerrada, y no me atrevo ni ir al lavabo para ver la luna. Me vienen a la cabeza versos de poetas que ya no recordaba. Dame el lagarto, decía la de la divisa, pero ese no era el lagarto que yo me imaginaba, no es ese el lagarto que yo quería, si es que quiero alguno. Otro decía: estoy más lejos de quererte, y yo pienso: estoy más lejos de ser yo la que quiere porque estoy más lejos de quererme. Pero las palabras que de verdad me consuelan, como si esta realidad ya la hubiera vivido en esa novela, son las de «qué asco, el amor». Con la diferencia de que no es el amor, sino el sexo así, con el cuerpo y sin el alma, lo que da todo el asco del mundo.

Juntábamos las puntas del índice y del pulgar para formar un circulito, y sobre él colocábamos un pétalo de amapola. Después le dábamos con la otra mano y… ¡plaf! Si el pétalo quedaba intacto resultaba que eras virgen, y si se formaba un agujero en medio es que ya te habían desvirgado.

Por la mañana, tras mi noche de bodas, se oyó un fuerte estallido: ya me habían penetrado. Ignoro quién tiró los cohetes, pero en el patio enseguida se escucharon *yu-yus* y palabras de enhorabuena. Mi marido-primo había salido de la habitación mientras yo soñaba, no sé si dormida o despierta, con el camionero que me agarraba y me decía: ¿Cómo bailáis en tu pueblo? ¿Así? Si hubiera reaccionado con rapidez, si le hubiese retorcido los dedos hasta hacerle daño, si hubiera hecho cualquier otra cosa en vez de quedarme allí quieta, a su disposición… Por debajo de la puerta se filtraba una claridad blanca que lo hubiera inundado todo si alguien hubiera abierto la puerta. Rápidamente, me vestí, hice la cama y recogí la ropa que mi primo-marido se había dejado tirada en la alfombra. Tenía que vestirme de novia. Una *qandura* blanca, bordada con punto de cruz verde, que nos había traído Mumna. Me tenía que arreglar: ponerme el khol, peinarme… Una novia tiene que parecer una novia. No había hecho más que levantarme cuando llamaron a la puerta. Era mi prima; estaba nerviosa y me abrazaba. Felicidades, felicidades, decía, y en una mano llevaba un hervidor. Te traigo agua caliente. Ya no recordaba que me tenía que lavar, de arriba abajo, incluida la cabeza, porque después de haber tenido relaciones no se puede ir por el mundo sin lavarse; si no te lavas después del sexo, tus ángeles te escupen cada vez que das un paso, te escupen y te maldicen.

Me comporté como una buena novia. Siete días sin salir de casa, que a las novias también se las pueden llevar, raptar o abducir, como a los recién nacidos, y hay que protegerlas de los disgustos y de las malas miradas, cualquier cosa puede herir de muerte a una novia. Por eso mi tía-suegra se encargó de elegir bien las visitas, me protegió lo mejor que pudo; yo no era solo la mujer de su hijo sino su querida sobrina. Mi madre no había cumplido ni de lejos con la tradición, y así había hecho realidad su deseo de tener una boda como la de cualquier familia, aunque nuestras circunstancias no tuvieran nada que ver con las de cualquier familia. Gracias a su invento de boda internacional, había conseguido quedarse en su casa mientras yo me marchaba a la casa del novio, a pesar de que su casa de aquí abajo sea la casa de su hermano. El día que me fui con la vestidora a coger el autobús, ella se quedó en nuestro piso extranjero. Lloraba, por supuesto, como deben llorar todas las madres que entregan su hija a alguien, y yo traté que la despedida fuera lo más rápida posible. Que Dios te lleve a buen término, me dijo, aun sabiendo que nos veríamos dentro de dos semanas.

Aunque sea en la lejanía, mi madre debería estar tranquila. A partir de ahora ya no seré responsabilidad suya, seré yo quien responda de mis actos, yo y mi marido, pero no ella. Ha conseguido no tener que acompañarme a casa del novio, porque, al parecer, lo que trae más mala suerte a un matrimonio es que la madre, en vez de quedarse en casa desconsolada llorando su pérdida, se una a la fiesta de entrega de la novia.

Me pasé la semana de rigor encerrada en casa, sin trabajar, sin barrer, sin lavar los platos o cocinar, sin hacer nada, solo arreglándome cada mañana para estar guapa para las visitas que llenaban la habitación. Gente a la que no conocía de nada y que solo venían a contemplarme, a chismorrear sobre cómo era esa chica con quien se había casado Driss.

Él sí que podía salir, a él no lo afectaba la prohibición, a él no había que protegerlo de ser raptado ni de ser herido por ninguna mala mirada. El día siguiente a la noche de bodas ya estuvo fuera todo el día. Había ido, con esa carta que le había traído yo, la que decía que le concedían el permiso de residencia, a tramitar el visado al consulado de la ciudad y, claro, ya se sabe, las colas allí no se acaban nunca. Pero, durante los días siguientes, también entró y salió. Por las noches se ponía encima de mí un momento, durante el cual yo me transformaba en una rama tiesa, muerta... Y de día él entraba y salía. Seguía haciendo la vida de siempre, para él nada había cambiado.

El séptimo día llegó una comitiva de tías, primas y amigas de mi madre venidas de la ciudad que traían consigo una comida completa cocinada por ella. El séptimo día la madre envía comida a esa hija que ya no es suya, quizá para hacer más soportable una separación que ya se sabe definitiva. Me hizo llegar *remsemmen* del suyo, muy delgado y ligero, y unos pollos que hervía después de haberlos adobado con especias, cilantro, cebolla y ajo, y que freía después enteros en aceite. Quedaban tiernísimos y repletos de sabores por dentro, pero con la piel crujiente por fuera. Le gustaba acompañarlos de almendras fritas, ciruelas, huevos duros y una salsita hecha sofriendo los hígados con pasas. A veces, si tenía suficientes, los acompañaba también con las mollejas. Las mollejas las abríamos por un lado, por una línea que se dibujaba como si fuera el cierre de un estuche, y así salía lo de dentro sin tener que ensuciar demasiado. Cocidas enteras dentro del estofado quedaban tiernas (menos las partes más duras, cuya consistencia era como la de un cartílago), y cortadas en pedazos y sofritas quedaban crujientes y, a la vez, se deshacían enseguida. Cuando mi suegra me presentó el plato con los pollos aderezados con los hígados y las mollejas, me cogió tal llorera que no había quien me la calmara. La tía decía: No llores, que tú tienes mucha suerte, pronto volverás con tu madre, no sufrirás como hemos sufrido todas nosotras. En cambio yo tengo que despedirme de mi hijo. A mí me entró vergüenza por llorar así, como una niña. Porque el detonante de mi tristeza no era evidente para nadie. Vi los hígados y las mollejas y me acordé de lo que me decía mi madre cuando era pequeña. Debía de ser muy pequeña porque ya no volví a escuchárselo decir nunca más, de tan dura como había tenido que volverse para cuidarme ella sola en un país donde no conocía a nadie. Me decía «higadito mío», que es como decir «sangre de mi sangre», pero queriendo expresar un amor profundo inherente a la condición de madre. Pero también me decía «mollejita mía», que era menos dramático pero tan íntimo como lo otro: una vinculación irrompible.

Una semana después de enviarnos la comida, vino mi madre en persona a visitarnos. Nos dimos besos como se dan las mujeres aquí, uno, dos, tres, cuatro, a un lado, rebotando, y al otro; más besos de los que nos habíamos dado nunca. Mi madre me miraba como si hubiera cambiado, como si ya fuese una mujer, como ella. Y yo pensaba, ¿qué ha cambiado? Nada, solo que hay un desconocido que se abalanza cada noche sobre mi cuerpo con todos sus olores y me mete su lengua insípida en la boca, y me soba con sus torpes manos como si yo fuera de juguete. Cada noche querría haberle dicho que así no se hacen las cosas, pero aún no teníamos la suficiente confianza y, si lo corregía, se ofendería. Más adelante. Por supuesto, no le conté nada de todo eso a mi madre, que me miraba entre el orgullo y la añoranza; ella tampoco era la misma. No es lo mismo ser madre de una virgen que de una mujer que ya se encuentra cada noche con su marido. No sé si a mi madre podía pasársele por la cabeza alguna idea parecida, aunque fuera de lejos, a las mías, pero sentada en mi habitación de novia la compadecí un poco. Aunque yo no me marchara a vivir a otra parte, ya no era suya, ahora era de mi marido, de su familia, y aunque la familia de mi marido fuera también nuestra familia, algo había cambiado.

A nosotros, nos habría correspondido devolverle la visita una semana más tarde, ir a verla cargados también con todo lo necesario para preparar una comida, pero no teníamos tiempo. Pocos días después se acababa el plazo que tenía mi primo para recoger la tarjeta de residencia y teníamos que marcharnos.

En la frontera había cola, como siempre, y se nos acercaban mendigando los niños descalzos, con cara de hambre, y las mujeres, encorvadas sobre sí mismas. Una de ellas, de aspecto cadavérico, me miró fijamente, y por un momento me pareció como si leyera en lo más profundo de mis pensamientos. Al llegar al control de pasaportes nos hicieron esperar, y yo fantaseé, durante el tiempo que tardaron en devolverle el suyo a mi primo, con la idea de que, inesperadamente, hubiese surgido algún problema y no lo dejaran pasar; pero mi madre y yo nos teníamos que ir, ya teníamos los billetes del *ferry* y no los podíamos perder, me sabe mal, le diría, ya lo solucionaremos, debe de haber algún error. Así podríamos volver a nuestra vida de siempre, sin él, solas mi madre y yo, como antes. Me giré y volvía a tener a la vieja cadavérica, encorvada, sucia y desdentada a mi lado. Me sonrió, y me pareció más muerta aún.

Mi marido-primo regresó indignado, utilizando las típicas expresiones (que mi madre, tan educada ella, no usaba nunca) para despotricar contra los funcionarios. *L-lah in'er*, *L-lah ijsen*, hijos del pecado, hijos de qué diré, Dios maldiga a vuestros antepasados y a vuestra descendencia. Algunas frases las decía en *darija*, puede que para que los funcionarios de frontera lo pudieran entender. Se creen que solo por el hecho de disponer de un visado me sobra el dinero, y quieren cobrar la propina sea como sea.

Durante todo el viaje de vuelta se me fueron ocurriendo cosas que le podrían pasar. Me lo imaginaba tropezándose en el *ferry* y cayéndose al agua. Adiós, primito, le diría con una mano. Su entusiasmo infantil por las novedades que descubría: el mar, las olas, incluso algún delfín que nos acompañó durante parte del trayecto, su complicidad con mi madre, todo me iba enervando. En el propio barco comencé a vengarme un poco. Yo aún llevaba la ropa de mujer casada, la chilaba oscura y un pañuelo en la cabeza. Pero mi primo ya sabía, o dábamos por hecho que sabía, que yo no llevaría pañuelo, que había crecido fuera y trabajaba, y esto me convertía en una mujer casada diferente de las otras. Me cambié en el mismo camarote, me puse una falda larga hasta los pies pero ajustada y una blusa, también ceñida, de manga corta. Cumplía con lo estipulado, no se me veía nada que no se me tuviera que ver, pero no distinguí, en las caras de mi primo y de mi madre, demasiadas señales de aprobación. Me da igual, pensé, y por dentro me imaginaba que él descubría a los otros hombres del *ferry* mirándome y decidía que una mujer así no era para él, que no tenía más remedio que dejarme, pero la verdad es que no dijo nada y nuestro viaje continuó hasta llegar a buen término, hasta nuestra nueva vida en mi ciudad de siempre.

Me acabé acostumbrando al marido-primo por la noche, pero no durante el día. Por las noches cerraba la puerta de nuestro dormitorio de muebles baratos, se desnudaba a toda prisa y se metía bajo la manta sin que pudiera verlo. Aunque, de hecho, daba igual, porque yo tampoco intentaba mirar, solo pensaba que aquello que debía venir, cuanto antes viniera y se fuera, mejor. Y lo que venía era él, que me manoseaba de cualquier manera, y me cogía con fuerza la cara con una mano, y yo acababa entreabriendo la boca y así él podía meter su lengua, blanda y húmeda; esa lengua me recordaba la lengua de las vacas que mi madre solía comprar, y recordaba cómo teníamos que rasparlas para quitarles toda la porquería. Pero la lengua de mi marido-primo olía a tripas de cordero, a ese olor como de carne cruda grasienta que despedían aquellos intestinos viscosos de los corderos que teníamos que volver del revés con una aguja gruesa y que a mí me gustaba tanto anudar. De pequeña era un trabajo agradable, la mucosidad intestinal tenía un tacto delicioso, pero, en cambio, esa misma textura en la lengua de mi marido-primo no me producía ningún deleite. De hecho, cuando se desnudaba y se metía a toda prisa bajo la manta, como si no hubiera estado nunca con una mujer y le tocara desde hace tiempo por edad, yo ya me había marchado. Antes de que me obligara a abrir la boca con la mano, yo ya era una simple observadora, y no la que sufría esa escena. O mi pensamiento se alejaba, y confiaba en que así todo acabara deprisa. Podrías ser un poco más dulce conmigo, ahora que ya nos conocemos un poco más. Me lo dijo una noche después de desfogarse; pareces de hielo, añadió.

Durante el día, su presencia era mucho más molesta. Nuestra paz familiar, construida entre mi madre y yo era, aunque tuviera momentos tensos, una paz hecha a base de orden, pulcritud y trabajo. Mi madre se sentaba muy de vez en cuando a ver la tele y dormía su siesta obligada, pero no se permitía más ocio. Si tenía invitadas, sí que le gustaba charlar con ellas, pero el resto del tiempo andaba siempre atareada. Pero ahora mi marido-primo se había apropiado de nuestro piso, se había acostumbrado a él enseguida. Se apalancaba en el comedor con el mando a distancia en la mano y se ponía a comer pipas sin que le preocupara lo más mínimo que las cáscaras fueran a parar a la mesa o a la alfombra que mi madre aspiraba con persistencia cada mañana. Si nosotras estábamos en casa no fumaba, porque mi madre le había dicho que lo hiciera afuera, pero cuando estaba solo se saltaba esa norma sin problemas. Cuando llegábamos, le decíamos que el aire del comedor era irrespirable y él negaba haber fumado dentro. Se hacía el ofendido, encima, y cogía la cazadora de piel que había traído de allí abajo y se marchaba. No le tuvimos que enseñar la ciudad, enseguida se la hizo suya. Déjalo, me decía mi madre, los hombres son de la calle y las mujeres de casa.

Yo me callaba, pero me preguntaba que, si yo tenía que ser de casa, por qué me pasaba los días trabajando fuera para mantener a su estimado sobrino. «No autoriza a trabajar», constaba en la tarjeta de residencia que le habían concedido. Ya sabíamos que la cosa funcionaba así, que cuando uno viene reagrupado no le dan el permiso de trabajo hasta que pasa algún tiempo, pero mi madre me había dicho que ya encontraría algo que pudiera hacer sin contrato, como tantos otros maridos traídos de allá, que, cuando uno es espabilado y tiene ganas de trabajar, algo acaba encontrando. «Espabilado», una palabra que no existe en la lengua de mi madre tal como me suena a mí; ella dice *ifsus*, que quiere decir «ligero», aunque cada vez más escuchábamos una adaptación del «espabilado» entre los marroquíes, *ispavila*. Porque «espabilado» no es exactamente igual que «ligero», «ligero» podía ser muy positivo, el que hace las cosas muy deprisa, pero según con qué tono se use puede ser muy negativo. Es muy ligero, dicho de una determinada manera, puede significar que uno es un espabilado, que es muy «largo». Y se acostumbra a decir de los que roban. El sentido que le damos a la palabra viene determinado por el tono, lo cual hace que una cuestión tan secundaria como la entonación resulte fundamental. También decimos «tener la cabeza ligera», pero esto siempre es positivo, quiere decir que se tiene facilidad para aprender, que uno es despierto y enseguida entiende y memoriza las cosas. Esa es la expresión que mi familia ha utilizado siempre para definirme, si hay algo que he oído decir de mí a lo largo de la vida es que tengo la cabeza ligera.

Para qué me ha servido, pensaba, para hacer realidad el sueño de mi madre y casarme con quien tocaba; así la aliviaba de la carga de tener aún una hija que dar en matrimonio. Misión cumplida, ya estaba casada, pero el sueño de mi madre se había convertido en mi pesadilla. ¿Y qué esperabas?, me decía. ¿Qué te creías, que te gustaría tu marido solo porque es tu marido? ¿Que viviríais felices y comeríais perdices?

Yo seguía en el seminario, limpiando las habitaciones, pero esas habitaciones ya no tenían ningún aliciente para mí; me las sabía de memoria y ya no encontraba aquel aire literario a las austeras celdas, ya no imaginaba a los estudiantes que habían pasado por allí, sus historias o las de las monjas, y no imaginaba cómo era la convivencia en aquel edificio medio siglo antrás. Las monjas de la cocina siempre se alegraban de verme, me preguntaban por mi nueva vida de casada y seguían opinando que había hecho lo correcto. Pronto, a ser madre, y así enseguida tendrás a los niños criados. Yo les decía no, que era muy pronto para eso, tenemos todo el tiempo del mundo. Bueno, bueno, me decían, pero no esperes demasiado porque los hijos se deben tener cuando se es jóven.

Yo había empezado a tomar anticonceptivos el mismo día de la noche de bodas, y en eso sí que estaba decidida a no dejarme engañar. Esta era la expresión que usaban las mujeres que se quedaban embarazadas sin quererlo, dejarse engañar por el tiempo, por el ambiente. A mí no me pasaría.

Al seminario también iban grupos fijos, y los fines de semana yo me encargaba de la cocina, de preparar los cubiertos y de llevar la comida al comedor y de calentar lo que hiciera falta; y cuando eran grupos muy grandes también era yo la que montaba las mesas para que a la hora de las comidas hubiera menos jaleo. También tenía que servir el desayuno. Preparaba grandes jarras de café, zumos, leche fría, el azúcar, las mermeladas y las mantequillas individuales. Pero a veces traían bandejas enormes repletas de cruasanes o ensaimadas. Como las traían a primera hora de la mañana, antes de que llegaran las monjas, yo aprovechaba para comer alguna pasta, aunque siempre tenía miedo de que estuvieran contadas o simplemente no estuviera permitido que yo comiera. Cuando no podía salir a mi hora porque se me había hecho tarde, las monjas siempre me decían que comiera algo, pero yo respondía que no, que mi madre siempre me había dicho que en el trabajo no se come. A veces insistían tanto que acababa probando alguna cosa, pero intentaba no hacerlo. Eso sí, cuando las pastas llegaban recién salidas del horno, no podía resistirme. Sabía que cada pieza era una bomba calórica, y antes de la boda no habría comido nunca algo así, pero, desde que volvimos de allá abajo con mi marido-primo, no podía controlarme. En casa, mi madre veía cómo mojaba pan en su estofado, un estofado que servía en un plato para todos pero que a menudo acababa siendo solo para nosotras dos, porque mi marido-primo salía sin decir cuándo volvería, y nosotras, al final, nos cansábamos de esperarlo. Yo no decía nada, pero mi madre sí que le había dicho más de una vez que avisara si no pensaba venir a comer, porque nosotras no lo podíamos esperar tanto rato. Él le contestaba *a wah a lal-la*, que es como llaman allí a las mujeres de los tíos paternos pero también a las suegras. A mi madre le sorprendía mi cambio de hábitos, que hubiera pasado de no comer nada a quedarme casi el mismo rato que ella ante el plato. Pero ella comía a sus horas, comía comida de verdad y no picaba entre horas; y yo, en el seminario, si tenía que trabajar en la cocina, me decía a mí misma que allí no podía comer porque estaba en el trabajo, pero de vez en cuando entraba en la cámara frigorífica y cogía, como si fuera un ladrón furtivo, pedazos de queso que habían sobrado en el desayuno. Me decía: solo uno, pero después cogía otro y otro más, y me lo llevaba enseguida a la boca para que nadie notara que estaba comiendo, aunque estuviera sola en la cocina. También iba al estante que había junto a los fogones y cogía las almendras que servían para hacer la picada. Cogía un puñado y me lo metía en la boca, y lo masticaba como podía. Cada vez que comía algo, era como si robara, como si cometiese un delito y no quisiera ser descubierta. «Furtiva» era la primera palabra que siempre me venía a la cabeza, pero, en realidad, aquello era una especie de satisfacción infantil por saltarme una norma estricta que alguien en algún lugar había escrito para mí. Una pequeña venganza.

Si traían cruasanes solo me comía uno o dos, porque enseguida dejaban de provocarme sensaciones. Pero si llegaban ensaimadas, el deleite era doble, porque pensaba que muy probablemente eran de «saín», de manteca, y no de mantequilla, y eso hacía que la transgresión fuera doble, contra la norma dietética y contra la norma religiosa. Pero mi perdición fueron los «negritos», brazos de gitano en miniatura muy esponjosos, rellenos de nata y recubiertos de chocolate solidificado y que, en la boca, no me parecían la transgresión de alguna norma, sino la aniquilación absoluta de todos los códigos de conducta existentes. Ese dulzor repentino que me llegaba enseguida a la cabeza, el contraste de texturas, olvidar por completo la lengua de mi marido-primo dentro de mi boca y recuperar mi cuerpo para mí sola. Por eso, cuando traían *negritos,* no había manera de parar. Me decía: va, uno y ya está, pero me lo acababa en un segundo; y después me tomaba otro, y otro, hasta que perdía la cuenta.

Después llegaba ese empacho doloroso que me provocaba una tristeza extraña, como si me hubiese castigado a mí misma. Una tristeza que me devolvía una y otra vez el mismo recuerdo: mi madre y yo estamos en la despensa de casa de mis tíos, medio escondidas, hablando en voz baja. Ella ha seguido a una gallina y ha descubierto que había puesto un huevo entre los arbustos que hay alrededor de la casa. Como nadie la ha visto, mi madre ha cogido el huevo y lo ha traído hasta la cocina, y me ha avisado discretamente para que la siga. Lo ha revuelto con un trozo de pan. La clara y la yema se han mezclado. Mi madre hace que me siente dentro de la despensa de techo bajo donde se maceran las aceitunas, y almacenan el aceite, el azúcar en terrones y los cacharros de cocina. Me mira mientras me como el huevo y me dice que me dé prisa y que no se lo diga a nadie.

Si hubiera sabido provocarme el vómito lo habría hecho, pero no sabía. Ni pensando en la lengua de mi marido-primo podía arrojar. Así que me quedaba el resto del día con aquella molestia en el estómago, la culpa, de la cual no podía desprenderme porque en la religión de mi madre nadie ha inventado aún nada parecido a la confesión.

Hace tanto tiempo que no leo un libro que a menudo me parece que esa imagen mía con un libro entre las manos forma parte de otra vida que, a estas alturas, comienzo a dudar que haya existido nunca. Cuanto más me aleje de ese mundo más fácil será todo, me digo, pero no puedo evitar cierta inquietud, una especie de sensación de peligro. Cuanto más iletrada me vuelva, cuanto menos recuerde lo que aprendía en los libros —las palabras, los textos—, cuanto más me deshaga de todo aquello, más fácil será adecuarme a mi nueva vida. ¿Ves?, me digo: esa palabra, «adecuar», debería formar parte de ese pasado del que quiero alejarme, porque la gente normal, la gente con la hablo cada día, no diría nunca una palabra como esa, se nota que es una palabra de libro de texto, de las que utilizaban cuando me hablaban de las características que debe tener un escrito. Si no fuera por estos saberes inútiles no me sentiría así de frustrada con la realidad que yo misma he escogido. Lo importante era poder elegir, me dijeron, pero en mi caso ha resultado un desastre. Mi elección era para hacer más fáciles las cosas, para conciliar, para lograr que el mundo de mi madre y el mío fueran el mismo. Tal vez sea cuestión de tiempo, y me acostumbre tarde o temprano. Eso han hecho las mujeres que me han precedido, mujeres a las que nadie preguntó si querían casarse o no, si querían llevar la vida que llevan o no, y a pesar de todo muchas de ellas son felices. Yo no lo soy porque aún no sé ser sin leer, aún tengo que acostumbrarme a dejar atrás las palabras, las hermosas, las exactas, las poéticas, las que significan muchas cosas a la vez, las que quieren decir lo que no dicen, las que otras personas vienen utilizando desde hace miles de años, las que ya, hace siglos, decían lo que dicen ahora. Cuanto más me aleje de las palabras más podré parecerme a mi madre.

En eso pienso ante mi nuevo cambio, el nuevo empleo que he aceptado y que empiezo hoy. Finalmente hablé con la mediadora, que me dijo: coge el trabajo, y yo le hablé de la hija del alcalde, de lo que tenía previsto para ella cuando volviera de la baja por maternidad; el pañuelo es incompatible con la administración pública. Acepta el trabajo, lo harás bien, te entenderás con las mujeres, que es lo que más cuesta, y te harán caso. Si no lo coges tú se lo darán a otra, y yo ya sabía que me acabarían echando de cualquier manera. Me lo dice en medio del mercado y, por un momento, el estruendo que forman los vendedores se interpone en nuestra conversación. No sé si su voz es de resignación o de tristeza, tal vez de ambas cosas.

La inquietud que tengo desde que supe que comenzaba hoy, me la produce el peligro que supondrá para mí volver a estar en contacto con cosas escritas, con palabras que puedan provocarme placer y devolverme a ese lugar donde estaba, a intentar huir si no soy capaz de enfrentarme a la tentación de buscar una vida diferente. Me digo, mientras camino hacia la plaza Don Miquel de Clariana, que quizá ya sea muy tarde para eso, y que es imposible que deje de estar casada, que desaparezcan el desagüe de mis piernas y el repicar de botellas vacías que se escucha en mi vientre cada noche cuando mi marido-primo se vacía sobre mí; ahora lo peor ya ha pasado y, por más que en el nuevo trabajo tenga que leer documentos, ni de lejos serán textos literarios y eso alejará de mí todos los peligros. Que las oficinas donde he de trabajar estén en el mismo edificio donde antes estaba la biblioteca es solo una casualidad, una anécdota que como mucho hará que recuerde aquellas largas tardes de invierno que pasaba leyendo, y también cómo sufría mi madre en casa, no fuera a ser que tropezara con alguno de los peligros que acechaban en la calle, con la niebla tan a ras del suelo que apenas si se veía a un metro de distancia. Ella y las otras mujeres hablaban a menudo de secuestros, de asesinatos de niñas. Pero lo peor, a juzgar por el tono que utilizaban, por el aura de misterio que rodeaba a sus relatos, era que te violaran, que te raptasen y te violaran y te devolviesen como un trapo sucio, inservible. No decían «violar», porque en la lengua de mi madre no existe esta palabra, decían: a Fulanita se la llevaron y jugaron con ella todo lo que quisieron y después la devolvieron. O decían: la estropearon. Han jugado con ella y la han estropeado. Eso era lo más terrible que podía pasarle a una niña, a una joven. Más tarde entendí que hablaban de desvirgarla, pero durante bastante tiempo no supe concretar a qué se referían con lo de jugar y estropearla, y me preguntaba si lo que me hizo el camionero no era exactamente eso. Por supuesto, no he podido averiguarlo nunca, porque eso nunca, nunca se lo he contado a nadie, ni siquiera a aquella maestra que fue un poco como una madre, no fuera ella a pensar también que yo estaba estropeada.

En mi nuevo trabajo como mediadora me encuentro con una mujer que se parece a mi maestra, pero no voy a buscar en ella a una madre sustituta, no voy a hacerme adoptar por ella, porque ya he escogido una vida, una que debe parecerse más a la de mi madre que a la de las mujeres de aquí.

Me digo a mí misma que solo es casualidad que tenga que trabajar en el mismo edificio en el que estaba la biblioteca, solo es casualidad, me repito, pero cuando estoy dentro y me llega ese olor a humedad de las casas viejas de esta ciudad, a piedra antigua, todas aquellas palabras amenazan con regresar repentinamente a mi memoria, amenazan con desbordarme, con abrirme completamente la línea vertical y hacer que sea también por fuera lo que soy por dentro. Eso no pasará, me digo, porque, si un día pasara, me tomarían por loca y no habría otra palabra más que «desmesura» para definirme. La desmesura de un río cuando se desborda, la de un gran caudal que no cabe en mi mundo y que, muy probablemente, tampoco quepa en el suyo, el de los autóctonos. La desmesura nunca es buena y puede resultar incluso peligrosa. Por eso hay otra palabra que me asedia e impregna mis pensamientos desde que he entrado y he comenzado a percibir ese olor, que me trae miles de recuerdos de lecturas solitarias en aquellas tardes de mis inviernos infantiles. Estéril, me digo, tienes que ser estéril, tienes que desear serlo, y como tal debes comportarte. Así no caerás en la trampa del resto de palabras, por más que te tienten. No recuerdo dónde la leí, pero mi memoria sepultada me dice que debe de ser una palabra importante para alguna poeta, seguro, aunque ahora mismo no la recuerde.

No tardo en descubrir que mi nuevo trabajo como mediadora no será, ni mucho menos, un peligro para la vida que he elegido, una posible vía de huida de mi mundo hacia el otro. La hija del alcalde me presenta a mis compañeras de trabajo y les dice que las ayudaré dos días por semana, y deja claro que mi trabajo será básicamente de intérprete. Luego me pide que la acompañe y hace firmarme el contrato. No puede contratarte directamente el Ayuntamiento porque no tienes la nacionalidad, así que lo haremos a través de una empresa de servicios. Leo ese par de hojas: doce horas por semana, un sueldo que es poco más de la mitad de lo que me pagan por hora en el seminario… Vamos, que no será con un trabajo como este con el que pueda planificar una huida de mi vida actual.

Como con el sueldo de mediadora no nos llegaría para pagar absolutamente nada, decido conservar también el trabajo en el seminario. Quería trabajar de lunes a viernes como la gente normal, pero ese es un privilegio que solo pueden tener los que llegaron primero, los que son de aquí. Mi madre aún repite aquello de «esta es su tierra», pero eso tiene para mí poco sentido, es casualidad que unos hayan venido antes que otros, solo casualidad. Alguna vez me ha parecido que en el seminario había posibilidades de que pudiera hacer algún turno entre semana, para sustituir a alguna cocinera o a alguna limpiadora que se han marchado, pero esos puestos son con contrato, no a través de la empresa de trabajo temporal, y al gerente, por algún motivo que desconozco y que puedo atribuir a la falta de confianza que se suele tener hacia los marroquíes (porque, ya se sabe, siempre acaban trayendo problemas), al gerente, decía, no le interesa contratarme directamente. No es que me lo haya dicho así, pero se nota. Alguna vez, cuando alguien se ha marchado y me he ofrecido para sustituirlo, me ha dicho que lo pensaría, pero luego nunca me ha dicho nada y, al final, las monjas me han presentado a la nueva incorporación y entonces ya podía dar por desestimada mi petición. El silencio administrativo es negativo, me he dicho a mí misma cuando eso ha pasado, y no he podido evitar una sensación de ridículo. Me dicen las monjas que, los fines de semana, a veces hay trabajo y a veces no, y claro, antes de que tú vinieras, no venía más que gente nueva, porque a nadie le interesa que lo cojan para trabajar solo por horas. A nosotras nos gusta que vengas tú, me dicen, porque cada vez que viene alguien nuevo hay que volverle a explicar el funcionamiento y ya no tenemos edad para tener tanta paciencia. Vamos, que si no me hacen un contrato como es debido es porque mi trabajo está sujeto a variaciones, pero el de la recepcionista también debe de estarlo y a ella la ha contratado directamente el gerente. Mujer, la recepción siempre tiene que estar cubierta, aunque no haya gente. Se lo digo a las monjas porque sé que ellas hablan con el gerente, pero sin demasiadas esperanzas. Las pocas veces que lo veo me dice que hablo muy bien, que tengo un acento muy de aquí, muy de la ciudad, y, un día, incluso vino a buscarme a la cocina porque me quería felicitar. Cuando me marché para casarme, él estaba fuera y le dejé una nota escrita con el trabajo que había hecho y las habitaciones que faltaban por arreglar. Era un escrito sencillito, informativo, puramente práctico, pero parece ser que se emocionó, porque vino corriendo a la cocina con un entusiasmo desconocido en él, con un brillo inusual en los ojos, como de persona viva. Incluso me dio la mano, él, que suele ser tan seco, tan poco expresivo. Quiero felicitarte, me dijo, porque el escrito que has hecho es una maravilla. Yo no tenía ni idea de a qué se refería, y pensé que quizá había escrito algo que no recordaba. Es impecable, ni una falta de ortografía, todos los pronombres tan bien puestos, la puntuación, todo. Piensa que el hombre del *parking*, aunque hace treinta años que vive aquí, me deja unas notas que, a veces, no hay quien las lea de lo mal escritas que están. A mí su entusiasmo me provocaba sobre todo extrañeza, y me recordaba el concepto de escribir bien que tienen las mujeres analfabetas como mi madre, para las que escribir bien es tener una letra clara y bonita, sin esa caligrafía chapucera que hace que las letras parezcan los surcos de un arado.

Pero ese entusiasmo por mi ortografía nunca logró que se planteara darme algún tipo de estabilidad laboral, para nada.

Mi madre me dice que no puedo trabajar tanto, que eso no es bueno ni para mi salud ni para mi matrimonio. A lo mejor le levanto mucho la voz cuando le contesto que qué quiere que haga, que no hay manera de que mi «querido esposo» «espabile», y que se pasa las noches viendo la tele y el día durmiendo. Ella y yo trabajando y él durmiendo, menudo cambio de papeles, menuda forma de cambiar las costumbres. Aunque eso no quita que seamos mi madre y yo las que nos encarguemos también de la casa, de tenerla limpia aunque sea él quien la ensucie sin miramientos, eso no quita que cocinemos, que pongamos lavadoras y que ella se deslome intentando mantener el orden que había antes de que viniera mi primo, aunque eso le comporte mucho más trabajo que cuando estábamos solas. Mi primo no hace nada, mi flamante marido se vacía sobre mí cada noche, se duerme tranquilo y desfogado y de día pasea por la calle o se pasa las horas en los bares hablando con sus paisanos. Y encima mi madre le da dinero. Algo habrá que darle, me dice, pobre, aquí no tiene a nadie. Pobres nosotras, pienso yo, pero para mi madre la familia siempre ha sido sagrada y, si mis tíos recibieran cualquier queja de mi marido-primo, no lo soportaría. Ella les enviaba dinero aunque nosotras tuviéramos problemas para pagar las cosas más básicas, pero, claro, nosotros estamos en tierras prósperas y ellos..., ya sabes cómo es la miseria de nuestra tierra. Ahora que él vive aquí, continúa enviándoles dinero pero también le da a él, eso por no hablar de lo que se gastó en mi boda y que debería haber pagado la familia del novio. Ellos no pueden, me repetía, ya nos lo devolverá cuando trabaje. Ni mi dote pagó. El juez me preguntó si la había recibido y dije que sí, pero era mentira, era mi madre la que me había pagado todo el oro que llevé al matrimonio.

No es bueno que trabajes tanto, me ha dicho mi madre, porque a los hombres no les gusta que seas más que ellos, eso rompe los matrimonios. Yo no sé si soy más que mi marido-primo o no, pero sé que con lo que ganamos las dos no podemos permitirnos ningún extra, ningún capricho. Las amigas de mi madre hablan a menudo de lo que hacen con el dinero que ganan cuando trabajan unas horas: unas escaleras por aquí o una limpieza por allá. Ahorran y después se compran joyas o ropa que el sueldo de sus maridos no les permite. Trabajan para tener dinero ellas, no para aportarlo a la economía familiar. *Iwa safi,* dicen. Y quieren decir: Sí claro, ¿encima que trabajo tengo que darle a él el dinero? ¡Ni que fuera tonta! Pero claro, ellas trabajan como un extra, es algo que hacen además de las tareas de casa, y si alguna trabaja tanto fuera que acaba descuidando su casa, enseguida su marido le recuerda cuál es su obligación principal y cuál es su lugar. Pero mi madre no ha trabajado nunca para pagarse ningún capricho, sino para que pudiéramos sobrevivir ella y yo. Pero ahora ya no solo trabaja ella, trabajamos las dos, y no solo para cubrir nuestras necesidades, sino también las de mi marido-primo, que a mí cada vez me parece más el perfecto parásito. Por eso me tomo mis pequeñas venganzas. Me permito comprar ropa en las tiendas de la plaza en lugar de en las del mercado, y a veces voy a la peluquería. Me teñí el pelo de un negro muy oscuro, «negra noche», se llamaba el color, porque mi castaño rojizo no se acercaba lo suficiente a ese color tan apreciado por las mujeres, el negro brillante.

A las ocho he ido a buscar a esa mujer a su casa. Le tienes que enseñar dónde está la parada del autobús y acompañarla a llevar hasta allí a los niños, porque no hay forma de que lo haga ella, me dijo ayer mi compañera de oficina del Ayuntamiento. Debe entender que es lo mejor para todos. Cuando he llamado al timbre de esa casa antigua de dos plantas de la calle Sant Francesc, la mujer ha asomado la cabeza por la ventana y le ha pedido a su hija que me abriera. Yo me he negado a subir, pero ella ha insistido gritando desde arriba: Vamos mujer, no te quedes afuera, que aún es temprano y hace frío. A pesar de la oscuridad y de esos muebles, que ya debían de estar ahí cuando lo alquiló el marido, en el piso se respira una calidez reconfortante. Si una se esfuerza un poco, se pueden apreciar aromas de comidas anteriores, el incienso quemado el día antes y un calor que no parece provenir de ninguna estufa. Me siento en los *mtarbaz* del comedor y pienso que podría quedarme allí. La mujer me saluda con dos besos apresurados y enseguida vuelve a la habitación donde está vistiendo a la niña más pequeña, que sale restregándose los ojos de sueño. ¿Estás segura de que no puede hacerse esto de otra forma? No es que yo no quiera que vayan a la escuela, pero es que todo el día me parece demasiado, para ellas y para mí. ¿Qué voy a hacer yo aquí sola, encerrada todo el día? Me mira con una desesperación que no sé encajar y de pronto me parece que el trabajo de mediadora es el peor del mundo, que me obliga a hacer cosas que no me parecen justas, pero insisto en decirle lo que mi compañera ya le explicó ayer: que no se les puede asignar una escuela más cercana porque no hay plazas. Algo que es mentira, pero no puedo decirle que los envían a ese centro, que está tan lejos de su casa que tienen que ir en autobús y quedarse a comer, porque no quieren que los marroquíes se concentren todos en el mismo colegio, porque se forman guetos y eso no es bueno, y por no sé cuántas cosas más que me explicaron el día que comencé a trabajar. Por supuesto, no llaman marroquíes ni inmigrantes a los niños que reparten, los llaman «necesidades educativas especiales», que suena más higiénico.

La hija mayor lleva una cola de caballo que le tira mucho, y le brillan los ojos de entusiasmo. Nos dijiste que en el comedor no nos pondrán carne de cerdo ni ninguna otra, ¿verdad? No, le contesto, ya os dijeron el otro día que os darían huevos, queso o pescado. ¿Lo ves, mamá?, ya puedes dejar de preocuparte, estaremos bien. Tú sí, mollejita mía, pero tu hermana es muy pequeña. Vuelve a mirarme mientras le abrocha el abrigo y me suplica: ¿No podría empezar cuando fuera un poco más grandecita? Le digo que aquí los niños comienzan la escuela a los tres años, y ya es la segunda vez que le miento, no le digo que de los tres a los seis años la escuela no es obligatoria sino opcional, pero que el Ayuntamiento ha decidido que, los niños con «necesidades etc.», es mejor que comiencen cuanto antes para que aprendan el idioma, porque cuanto más tarde comienzan la escuela más retrasados van después y más trabajo dan al sistema educativo.

Cuando hemos llegado a la carretera de la Guixa, al lado del río helado, la mujer no paraba de llorar. Tu hija se asustará, le he dicho, creerá que pasa algo. ¿Y te parece que no pasa nada? Yo no me he separado nunca de ellas, a la pequeña le he dado el pecho hasta hace cuatro días, y ahora no voy a verlas durante horas. Cuando el autocar se ha detenido, le he presentado a la monitora que vigila a los niños durante el trayecto, y la hija mayor le ha dado un beso a la madre y ha subido. La pequeña se ha agarrado a su madre y ha empezado a gritar diciendo que no quería ir, que quería quedarse con ella. La monitora desde el vehículo sonreía y decía: Vamos, ven, que te lo vas a pasar muy bien. La madre continuaba secándose las lágrimas con la punta del pañuelo que llevaba en la cabeza y le decía: Venga, va, que enseguida volvéis; pero la pequeña se agarraba aún más a ella. La madre hacía el gesto de quitársela de encima, pero sin demasiada convicción. La monitora me ha mirado y me dicho: Coge a la niña y dámela. Yo lo he hecho, y he advertido que se había agarrado a su madre con una fuerza increíble para alguien de su edad, y, casi sin pensarlo, se la he pasado a la mujer que esperaba en el autocar. La puerta se ha cerrado y ha amortiguado los gritos ensordecedores de la niña. He acompañado a la madre un trecho mientras ella no paraba de sollozar. He intentado consolarla diciéndole que a muchas mujeres les gustaría poder tener todo el día para ellas, para hacer lo que quieran, pero ella me ha dicho que lo único que quiere es estar con sus niñas, que aquí no tiene a nadie más. ¡Y son tan dulces y tan buenas! Nunca le han dado disgustos y le hacen compañía; desde que las tiene no ha vuelto a sentirse sola. Mi marido trabaja hasta tarde… ¿qué puedo hacer yo?, ¿qué voy a hacer todo el día encerrada en casa? Le digo que puede salir, que puede conocer la ciudad, que puede pasear y apuntarse a cursos, y me mira como si yo no tuviera ni idea de su padecimiento.

Llego a casa agotada, con la sensación de haber hecho algo sucio o, como mínimo, injusto. Eso es lo que ha decidido el Ayuntamiento, repartir a los niños es la solución menos mala. Pues tendrían que explicárselo a esta madre deprimida, pienso; aunque, de hecho, ese es el trabajo que me toca hacer a mí, me utilizan para convencer a las familias de que acepten lo que las familias «de aquí de toda la vida» no aceptarían nunca. Es por su bien, me ha dicho la compañera cuando le he comentado que no me parecía justo; pero no tiene sentido enviar a niños a los pueblos de alrededor cuando tienen una escuela al lado de casa.

Aún estoy dándole vueltas a todo eso, los gritos de la niña, la injusticia, cuando advierto que en el comedor de casa está mi madre sentada con Driss; ella apoya la barbilla sobre la mano y él se muerde las uñas. No, en realidad no se muerde las uñas, pero hace el gesto de ponérselas entre los dientes y el efecto es el mismo. Hay algo extraño en la manera en que están sentados, y me entra una sensación de emboscada. De pronto he recordado el día en que mi madre me propuso casarme con mi primo. Puedes decir que sí o que no, lo que tú quieras, me dijo. Mi presentimiento no tarda en confirmarse. Ven, siéntate, me dice mi madre, tenemos que decirte algo. Solo que, en la lengua de mi madre, se pueden utilizar dos expresiones: ven, que tengo que decirte algo, o, ven, que tengo que decirte, así, sin complemento ni nada; y si esta última fórmula se utiliza en un tono serio, puede llegar a parecer mucho más grave que la primera, incluso amenazadora. Cuando yo era pequeña y mi madre descubría que había hecho algo que no debía, me decía: Ven, que tengo que decirte. Y si quería sonar aún más a «vete preparando» ponía una «t» delante del verbo que no tiene ningún significado propio, que en la lengua de mi madre sería una marca del femenino pero que, en esta expresión, solo sirve para denotar un cierto enojo de quien te pide explicaciones. Mi cabeza aún sigue distraída en esa clase de análisis, pero solo porque aún no entiendo para qué pueden haberse aliado mi madre y mi marido. Me siento y escucho, y se me debe de notar en la cara el malestar que me provoca lo que me dicen; y no solo en las facciones, sino en todo el cuerpo, que se me va poniendo tenso, a la defensiva. Me agarro, sin darme cuenta, a la espuma forrada de los *mtarbaz* donde me he sentado. Mi madre da rodeos a la cuestión y me dice no sé qué de las mujeres casa-

das, que no han de comportarse como si fueran solteras, y que nosotras, al fin y al cabo, por más que vivamos en tierras cristianas y por muchas libertades que
ella me haya dado, no dejamos de ser musulmanas,
y las musulmanas, las buenas mujeres musulmanas
que no sean «partidoras de tarea», debemos compor-
tarnos y vestirnos de modo que se note que somos
hijas de *sidi*, hijas de señor. Pero enseguida deja
de hablar de las «partidoras de tarea», porque se
da cuenta de que la expresión me tensa aún más y ella
lo que quiere es que la escuche, convencerme. Mi
primo aún no ha abierto la boca cuando ella añade
que es de buenas esposas no querer parecer soltera,
y que yo puedo hacer lo que quiera, pero debería ser
consciente de lo que mi forma de actuar provoca en
los demás. La miro y le digo: ¿Qué dices? Lo que
ocurre es que en su lengua eso suena a indignación, a
disconformidad absoluta con lo que se está diciendo.
¿Qué me estás diciendo? Que no hay nada malo en
llevar el pañuelo. Llegados a este punto ya no aguanto más y me parece que levanto la voz: ¿El pañuelo?
¿El pañuelo yo? ¿Cómo habíamos quedado? ¿No te
dije que no lo llevaría ni aunque estuviera casada?
Hija mía, hija mía, me dice dulcemente, no es nada
malo y a ti te sienta bien. ¿Te acuerdas de cuando
eras pequeña y jugabas a ponerte los míos? Te sentaban la mar de bien. Yo no pienso ponerme el pañuelo, le digo, nunca. Pero de repente es mi primo el
que explota, se levanta y comienza a gritar: ¿Qué te
pasa a ti? ¿Qué te pasa? Utiliza una expresión que
se parecería más a «qué coño te pasa a ti», pero sin
palabrotas, solo con un verbo cargado de irritación.

Michm ide'wen? Como si estuviera loca, como una cabra. Ya os dije que no llevaría pañuelo, ni casada ni nada. No es verdad, me contesta, lo que hablamos fue que podrías estudiar, que podrías trabajar si quisieras, pero nadie dijo nada del pañuelo. Mi padre no sabía nada de todo esto, para que lo sepas, y ahora le han llegado noticias de que su querida nuera va por la calle vestida como una «partidora de tareas», con la cabeza descubierta y como si no tuviera casa propia. ¿Es que no has visto cómo te miran los hombres?

Lo miro a él, miro a mi madre: a mí no me importa lo que digan, el problema lo tienen los demás, no me voy a poner el pañuelo. Nunca.

Mi primo se desespera y dice «madre de mi abuela» golpeándose la pierna con la palma de la mano y mordiéndose el labio inferior. *Lal-la,* díselo tú. Tienes libertades que no ha tenido ninguna mujer en nuestra familia y aún no tienes bastante, ¿ni siquiera puedes hacer el esfuerzo de ponerte un trozo de tela en la cabeza? ¿Qué libertades tengo?, le contesto, ¿cuáles? Haces lo que quieres, entras y sales cuando quieres, te compras ropa, maquillaje, vas a la peluquería, y trabajas. ¿Yo te dejo trabajar y tú no eres capaz de hacer el más mínimo gesto hacia mí y hacia mi familia, que es la tuya? ¿Que me dejas trabajar? ¿Estás seguro de que me dejas trabajar? ¿Te olvidas de que si yo no trabajara siete días a la semana tú no estarías aquí ni tendrías un céntimo para comprar pipas? ¿Tengo que recordarte de dónde vienes? Me mira con rabia y se lanza hacia mí, hija de lo que iba a decir..., pero mi madre se levanta y se interpone entre nosotros. Driss, te lo pido por tus padres, no le faltes al respeto a mi hija ni le levantes la mano. Él la mira sin dejar de morderse los labios, con los puños pegados al cuerpo, y se va dando un portazo. Mi madre llora. Madre, madre, escúchame, yo no llevaré el pañuelo; y si no le parece bien, que se busque a otra. Ya tiene los papeles, ¿no? Si no es por él, me dice sollozando, hazlo por tus tíos que ya son mayores, y estos disgustos…

Mi primo no volvió en todo el día, y en casa se formó un silencio denso que ni las estridentes voces de la televisión eran capaces de cubrir. Yo me fui a dormir temprano con la esperanza de que mi marido postizo no volviera nunca más, que se fuera bien lejos por el disgusto que le había dado o decidiese volver con sus padres o se fuera a vivir con sus amigos solteros o con una mujer que pudiera recibirlo con alegría, porque yo eso no había podido hacerlo aún. La noche anterior había vuelto a ponerse sobre mí y me había pedido otra vez que fuese más cariñosa con él, que me comportara como una esposa y no como una piedra. Yo dejaba los brazos inertes junto al cuerpo, y él me los cogía y hacía que se los pusiera alrededor del cuello mientras decía: venga, mujer. Por la oscuridad, yo no lo veía, pero notaba su olor a tripas de cordero recién lavadas y pensaba: que acabe deprisa, que acabe rápido y me deje en paz. Sin embargo, por alguna razón que no entendía, él no tenía suficiente con penetrarme sin miramientos, desfogarse y caer desplomado a mi lado. Eres mi mujer, no tiene nada de malo que quieras hacer cosas conmigo, es lo que está permitido, es como debe ser. ¿No te gusto ni un poco? Estoy aquí para tu disfrute y no me queda otro remedio que servirte de agujero para tus necesidades, pensaba, ¿qué más quieres que haga? Pero no le dije nada. Me manoseaba, me tocaba por todas partes sin orden ni concierto, sin ninguna consideración hacia mi cuerpo, se agarraba a mí bajo las mantas y seguía suplicando que fuera más atenta. Como no desistía, al final le propuse cambiar de postura. Para mí será mejor ponerme arriba. Hasta entonces no me había dado cuenta pero, antes de la boda, cuando me masturbaba, no me imaginaba tendida sobre la cama dejando que fuese otro el que lo hiciera todo por mí, sino que veía manos y cuerpos aferrándose a mí, me veía de pie o encima de mi compañero de sexo, echando la cabeza atrás y con los pechos libres abriéndose al aire. Cuando le propuse a mi primo ponerme sobre él se quedó un minuto en silencio, como si lo estuviera pensando, y finalmente se tendió a mi lado. Yo me puse sobre él, me levanté dispuesta a cabalgarlo, pero de repente él ya no estaba, se había desvanecido entre mis piernas, se había deshinchado completamente. Es que yo así no puedo, no sé, y de repente recordé todas las expresiones que en la lengua de mi madre se referían a situaciones humillantes: subirte encima de alguien, dejar que se te suban encima. Y aunque no había tenido ningunas ganas de ser receptiva a las demandas de mi primo, de repente me vi allí sobre él con una cierta excitación y esperando a que se resolviera, que por una vez el cuerpo de mi marido me sirviera para desfogarme. Pero no, lo único que pasó es que me quedé con la entrepierna a la expectativa. Me tumbé en mi lado de la cama y él se dio la vuelta sin decir nada. Comencé a pensar que yo tenía algún defecto que me impedía ser la esposa que debía ser. No soy la única mujer del mundo que se ha casado por conveniencia, he conocido a muchas que, a pesar de haber empezado así, después, con los años, están felices y satisfechas con sus matrimonios. ¿Cómo lo consiguen? ¿Cómo es su intimidad? Deben de acostumbrarse al cuerpo desconocido de su marido, deben de habituarse a él y quererlo por el simple hecho de ser su marido, la persona junto a la que duermen cada noche. Yo debería poder hacer lo mismo pero no puedo, y a cada embestida de mi primo recuerdo palabras, ideas, pensamientos. Me llamo «estéril», aunque sobre todo me resuena la frase del final de la novela: «qué asco el amor, qué asco». En la oscuridad de nuestra habitación de muebles baratos, no dejaba de pensar que qué mierda que yo no pueda ser como las otras mujeres, conformarme y ser feliz con lo que tengo; seguro que el defecto es mío. La principal diferencia entre las mujeres que se acostumbran al destino que les ha tocado vivir, que se sienten cómodas en su vida matrimonial y no protestan si no es en voz baja con sus amigas, y yo, es que ellas no han leído y yo sí; y, al lado del cuerpo ya dormido de mi marido-primo, entiendo que, a pesar de mis esfuerzos por dejar atrás mi vida anterior, sigo sin poder pensar como una analfabeta.

He dormido toda la noche con una sensación de opresión en el pecho, una molestia que me obliga a respirar deprisa. Cuando ha sonado el despertador me he levantado como un autómata programado y he pensado: Venga, no lo pienses más, hazlo y ya está, cuanto antes te acostumbres mejor. Ni siquiera es como aceptar vivir con un marido desconocido, es algo superficial, una cuestión de apariencia, un elemento que no te define ni te cambia. Tómalo como un disfraz.

Me he peinado mejor que nunca, me he recogido la cola en un moño y me he puesto el pañuelo en la cabeza ante el espejo. *Funara* no suena como «pañuelo», es un término más específico, todo el peso de su significado recae en este aspecto, el de ser una pieza que las mujeres se ponen en la cabeza. La *funara* no puede servir para nada más, en cambio el pañuelo, sí. He escogido una negra para que no sea demasiado llamativa, y al ver mi reflejo mientras me la pongo pienso: qué ridícula eres, mira que pensar que un pañuelo puede llegar a ser un elemento discreto en esta ciudad. En otra más grande, en la capital, quizá pasarías más desapercibida, pero aquí la gente es muy sensible a este tipo de cosas.

Me coloco la *funara* sobre la frente, y me tapo todo el pelo, que no se vea ni el nacimiento. Siempre lo dicen las mujeres: si llevas pañuelo, que sea de verdad, ese disparate de llevarlo medio puesto no vale, es reírse de la *funara*. Dicho así parece un mandamiento. En cambio, no puedo evitar recordar a mi abuela, que siempre lo llevaba cubriéndole solo la parte superior de la cabeza, como un pirata, no le cubría ni aquellas trenzas que parecían nacerle del propio pañuelo; solo cuando iba a algún sitio que no conocía se ponía otro encima para taparse las orejas. Y también había tías y vecinas que llevaban el pañuelo muy flojo, como si les hubiera ido a parar a la cabeza por pura casualidad. Les sobresalía un mechón de cabellos espesos, y muy a menudo el pañuelo se les escurría y la cabeza se les quedaba descubierta. Cuando se daban cuenta se lo volvían a colocar, pero tan holgado como antes. Sin embargo, de un tiempo a esta parte, las mujeres dicen: la *funara*, o te la tomas en serio o mejor no ponértela, no se debe jugar con ella. «En serio» quiere decir bien ajustada, enmarcando el rostro, tan ajustada que, para que tenga un acabado más pulcro, más limpio, en vez de un nudo bajo la barbilla, se coge la tela con un imperdible. Cuando, ante el espejo, levanto la cabeza para clavar el imperdible en la tela, me veo como un corderito con el cuello estirado a punto de ser degollado. Cuando la bajo y noto la *funara* sujetándome y enmarcándome el rostro, me entra un dolor en la garganta que debe de ser como el que sienten los corderos cuando los matan. Qué dramática eres, me digo, pero al mirarme, me veo distinta, veo que no soy yo, y siento vergüenza de ser la que veo en el espejo. Se han cumplido todas las profecías que pendían sobre mí, sobre todas las hijas de las marroquíes aquí: no vale la pena que os esforcéis en educarlas, había oído decir a alguien, porque, en cuanto crezcan un poco, las casarán en su país, y, entonces, hala, pañuelo, casa y venga, a tener hijos. Pero claro, la gente que piensa así no se para nunca a pensar en la soledad, no hace ninguna propuesta alternativa, no nos ofrece, a cambio de rebelarnos contra nuestras familias, un lugar alternativo donde cobijarnos. No os dejéis dominar, rebelaos contra las tradiciones ancestrales y primitivas de vuestro pueblo, huid de la discriminación y el machismo. Si cruzamos el puente, ¿qué nos espera al otro lado? ¿Un abrazo reconfortante y las mayores facilidades para las auxiliadas o una indiferencia gélida tipo «espabila que aquí no regalamos nada»? ¿Nadie ha pensado en quienes se quedan al otro lado? ¿No entendéis que no se puede abandonar a los más débiles, a los que no han tenido más oportunidades, más conocimiento de las cosas para ser más libres en el momento de decidir cómo quieren vivir? Si dejo a mi madre a este lado del puente y huyo, ¿no habéis pensado en su sufrimiento?

Mi cabeza mantiene un monólogo imposible, un monólogo que quiere ser una respuesta a las explicaciones que supuestamente me pedirán los que me conocen y me vean por primera vez con al pañuelo. Me pasa a menudo, comienzo a pensar qué le diré a tal persona o a tal otra y todo mi discurso mental se construye para la persona en cuestión. Aunque lo más probable es que nadie me diga nada sobre el pañuelo.

Mientras camino por la calle, me siento una extraña de mí misma, querría esconderme e incluso puede que esté arrimándome a los edificios más de lo que acostumbro. Miro al suelo y me acuso de ser como mi madre, como todas las mujeres que me han precedido, y pienso que no habrá servido de nada tanta formación, tanta lectura. Mejor, así podré amoldarme como es debido a la vida que tengo, a la vida que me ha tocado vivir. El día después de hablar con mi madre y con Driss y haber dicho que no, que no, que no me pondría el pañuelo ni aunque me mataran, mi madre se puso enferma. De la forma en que se pone enferma ella de vez en cuando, sin ninguna causa orgánica que justifique su malestar. Un malestar que consiste en no poder levantarse de la cama, en estar acostada todo el día. Me hizo llamar a María para decirle que no iría, avisar al carnicero de que no podría hacerle el pan porque estaba enferma. Verla así es lo más angustioso que he vivido nunca. Lo era ya de pequeña, cuando de vez en cuando le pasaba, y en nuestro piso húmedo del centro todo era quietud, silencio espeso y la sensación de que yo, sin ella, estaba completamente sola en el mundo. Cuando mi madre enfermaba así, daba igual que estuviera tumbada en la cama, o que supiéramos que no tenía nada grave, el hecho es que, cuando estaba así, no existía, y yo estaba sola en el mundo, absolutamente sola. Ni abuelos, ni tíos, ni primos, solo las dos, y, si ella caía enferma, ea, nena, espabila. A mí no me costaba nada espabilarme, hacía ya tiempo que me encargaba de mí misma, de vestirme, de hacerme el desayuno, de preparar las cosas la noche anterior para ir a la escuela. Pero sentirme sola no tenía nada que ver con organizarme, ser independiente y espabilada, no me servía para sentirme más acompañada.

Ahora hacía mucho tiempo que mi madre no se ponía enferma; desde que dejé el instituto y decidí casarme, desde que ella y yo estamos más unidas que nunca, mi madre parece más contenta, más feliz y alegre de lo que ha estado nunca. Lo resume en un *lhamdu li-L-lah,* gracias a Dios, cuando recuerda nuestra historia, lo difícil que ha sido nuestra historia desde que llegamos aquí y nos llevamos los disgustos que nos llevamos, pero, al final, como en los cuentos, todo se acaba arreglando, *Lhamdu li-L-lah.*

Ayer hizo una semana que estaba así, tendida en la cama sin salir para casi nada, sin comer, sin ni tan siquiera cumplir con sus oraciones. Ya lo he entendido, le dije, ya sé que estás así por mi culpa. Pero en mi interior pensaba que no era por mi culpa sino por la forma de ser de ella, por la importancia que le da al qué dirán, a lo que pensarán los otros marroquíes y, sobre todo, su familia de allí, a quienes les llegan todas las noticias sobre lo que hacemos o dejamos de hacer aquí. ¿Por qué la gente no se ocupa de sus asuntos?, le dije el día de la discusión ¿Por qué no se gastan el dinero de la llamada en decirles cosas importantes a sus familias y no en chismorrear? Pero ahora me veo a mí misma por la calle, medio escondida por miedo a que me vea alguien de aquí que me conozca y me diga: mira, eres igualita a ella, para ti también es más importante lo que diga la gente que cualquier otra cosa. Si no, ¿a qué viene eso de sentir vergüenza por llevar pañuelo? Nadie sabe si lo llevas porque quieres o porque te lo han recomendado o porque te han obligado las circunstancias. Y este es un país libre, ¿no? Puedes hacer lo que quieras, como te han dicho tantas veces.

Estos pensamientos no me sirven para sentirme más cómoda dentro del pañuelo, continúa doliéndome la garganta, un dolor parecido al que provoca retener el llanto, y me doy cuenta de que puede que no sea por el imperdible sino porque lloraría, gritaría, desgarraría esta tela y todas las que han existido para no sentirme tan atrapada.

Continúo caminando hacia el trabajo, arrimada a los edificios, también a la muralla, y cuando llego al portal de entrada a la ciudad antigua, lo que en la actualidad llaman la calle de la Mare de Déu dels Àngels, suelto el imperdible y me deshago del pañuelo. Al decirle a mi madre que sí, que de acuerdo, que me pondría la *funara,* también le he advertido de que lo que no haremos es perder el trabajo, así que cuando esté cerca del mío me lo quitaré. Sí, hija mía, me ha dicho contenta, sí, hija, eso lo entenderá todo el mundo, Dios te guarde, Dios te guarde.

Me escabullo por las calles como una sombra que se escurre. No quiero que nadie me vea, querría ser un fantasma, no quiero que me vea nadie a quien conozca, ni marroquíes ni los que no lo son. Tampoco quiero que me vean o que me miren los desconocidos. Camino con el imperdible cogido bajo la barbilla, y el nudo en la garganta ha ido creciendo hasta oprimirme el pecho, como un peso. Me digo que la locura me acecha en cada esquina, y luego yo misma me digo que cuando la locura te acecha no debes de darte cuenta de que te acecha.

Llamé a la vestidora y le pedí que me llevara fuera de la ciudad en su coche. Se sacó el carné de conducir recién cumplidos los dieciocho años y eso le ha dado una libertad de movimientos inimaginable para mí. Dentro del vehículo, escapa mejor al control de los marroquíes, no pueden seguirle los pasos como cuando va a pie. Además, una vez ha puesto en marcha el motor nadie sabe dónde va o deja de ir, si quiere irse lejos, nadie puede echárselo en cara; si fuera de esta ciudad, donde no la conoce nadie, quiere hacer cualquier cosa que aquí le criticarían sin piedad, puede hacerla. Puede ir a bailar, puede comer alimentos que no sean *halal,* puede beber y puede irse a la cama con quien quiera. Tal vez no haga nada de todo eso, pero el hecho es que, si quisiera, podría hacerlo y nadie se enteraría.

Una vez dentro del coche le dije: Vámonos de aquí, tan lejos como puedas, y me miró con curiosidad. ¿Qué te pasa, chica? Mírame, ¿es que no me ves?, ¿es que no ves lo que llevo puesto? Me contesta que le ha extrañado verme con el pañuelo, pero que últimamente muchas chicas que no se lo habían puesto nunca lo llevan y ella no es quién para decirle a nadie lo que debe o no debe hacer. Me pregunta si lo que pasa es que no quiero llevarlo. A mí se me atragantan las palabras cuando dejamos atrás los campos regados de purines y veo que vamos en dirección a esa gran ciudad en la que querría vivir. No podemos ir muy lejos, porque luego tengo que ir al seminario. Mientras le hablo de mi marido y de mi madre y su extraña enfermedad, abro el imperdible, que me estalla contra la piel, y muevo la cabeza liberada de la *funara* como si fuésemos en un descapotable de película americana. La vestidora intenta contenerse al principio, pero luego explota: ¿Pero es que no tienen suficiente con que le hayas arreglado los papeles y lo hayas traído aquí? ¿No tienen suficiente con que lo mantengas mientras él duerme o va de bar en bar? La miro y me da envidia. Va peinada con una cola de caballo, tiene el cabello castaño oscuro, y liso sin que se haya hecho ningún tratamiento. Tiene una cara regia, los pómulos pronunciados y unos ojos enormes que aún lo parecen más con todo ese maquillaje que se pone, unos labios carnosos que al hablar así, indignada, tiemblan de una forma muy graciosa. Pero mi envidia no viene solo porque ella sea más guapa y vaya vestida, peinada y maquillada como yo querría, mi envidia viene también porque ella y yo venimos del mismo sitio, de allá abajo, vinimos más o menos con la misma edad y no tenemos nada que ver la una con la otra. A la vestidora también la han criticado, la han perseguido por las calles, más que a mí porque sus formas redondeadas resultan irresistibles para los marroquíes y sus facciones son el ideal de belleza más preciado y cantado entre los rifeños. A ella han querido controlarla yendo a hablar con su padre, murmurando sobre su comportamiento con su madre, pero ella nunca se ha dejado dominar, siempre ha hecho lo que ha querido. Ella no se ha quedado en el condicional del «podrías hacer lo que quisieras», sino que ha hecho lo que le ha venido en gana. No es que su madre sea muy diferente de la mía, también ella quiere conservar las tradiciones y que sus hijas no abandonen su origen. Quizá esa sea mi principal diferencia con la vestidora, que ella tiene hermanos y hermanas y un padre, y la felicidad de su madre no depende solo de ella.

Me ha llevado a un centro comercial lejos de la ciudad. Entramos en las tiendas de ropa y a ella le llaman la atención cosas que yo no podría ponerme nunca porque son demasiado ajustadas, demasiado escotadas, demasiado cortas. Me enseña un vestido palabra de honor y me dice: Este te quedaría muy bien a ti. Te pones una rebequita sobre los hombros y ya está. Me admiro de su libertad, una libertad que ha tenido que conquistar pero que ahora ya no parece fruto del esfuerzo, sino algo natural, inherente a ella. Vamos, pruébatelo, me dice, te quedará muy bien.

Una vez en el probador, me da miedo quedarme atrapada dentro del vestido; con los atracones de comida que me he dado desde la noche de bodas, sé que he engordado, me veo las formas más redondas. Intento embutirme dentro del vestido. Salgo, me miro, y me veo deforme: la pierna, llena de pelusilla, se me sale por la abertura lateral del vestido y los calcetines con el vestido producen un extraño efecto. La vestidora me dice: Qué suerte, con este tipito te va perfecto. Qué dices, le contesto, si parezco una butifarra con patas. Que no, chica, que te queda de coña, deberías comprártelo. Me pongo a reír y me doy cuenta de que ella hablaba en serio. ¿Y cómo quieres que me lo ponga, con el pañuelo? Le hago la demostración poniéndomelo en la cabeza. De repente, la imagen que veo en el espejo es totalmente grotesca, un cuerpo embutido en un vestido estrecho y ceñido con los brazos y los hombros al aire. Tendrías que ir así, ¿no quieren que lleves el pañuelo? Lo llevas, ¿no? Pues ya está, tú ya has cumplido. Nos reímos hasta que la dependienta de la tienda viene a ver qué pasa. Cuando me ve con la *funara* y el vestido ceñido no sabe qué hacer y nos dice que aquella ropa no es para nosotras. La vestidora, conteniéndose, le pregunta que qué quiere decir con que aquella ropa no es para nosotras. Que es muy cara, ha contestado, y mi amiga ha estallado gritando: ¿Y tú qué coño sabes lo que puedo pagar o no? ¿Acaso te hemos dicho el dinero que tenemos? No, pero…

La hemos dejado allí dudando. Luego hemos vuelto porque se acercaba la hora de entrar al turno de la cena en el seminario. Durante el trayecto se ha hecho un silencio profundo, de alivio y comprensión. Yo no quiero decirte lo que debes hacer porque es tu madre y todos sabemos que ha sufrido mucho, pero piensa que si no miras por ti serás tú la que acabe enferma. A mí lo que me mata es ver que alguien con tu inteligencia no la aprovecha. Hacerte la tonta no servirá de nada, ni a ella ni a ti. Solo le viene bien a ese inútil que tienes por marido, que no se sentirá amenazado.

Después de nuestra escapada, me sentí aún más desdibujada yendo por las calles con el pañuelo. Me encontré a una profesora del instituto, una muy feminista que tenía el pelo corto teñido de un rojo panocha y hablaba deprisa y a trompicones, con la que había mantenido algunas conversaciones más o menos largas. No tanto como las conversaciones con A, por descontado, pero habíamos hablado y le había notado cierta simpatía hacia mí, no sé si por curiosidad o por un interés real. Me la encontré al salir de la plaza, cuando ya comenzaba a descender rambla abajo, y la miré sin acordarme de que llevaba puesto el pañuelo, la miré a la cara y abrí la boca para saludarla, para hablar con ella, y ella me miró apretando los labios, como si hubiera visto algo que le diera asco. Antes de que yo pudiera decir nada ya había vuelto la cara. Debe de ser que con el pañuelo me he vuelto invisible.

Es posible que al médico de cabecera le dijese que me sentía como un fantasma, pero no lo debió de entender. Le pedí un especialista, un psiquiatra. ¿Y para qué lo quieres?, me contestó mientras tecleaba en su ordenador sin mirarme apenas. Estoy deprimida y a menudo tengo ataques de ansiedad, me parece que me voy a morir y no puedo respirar. Tendría que hablar con alguien de cosas que me pasan. Cuando finalmente deja de teclear y me mira, es para decirme que esa clase de terapias son muy caras y que es difícil que la Seguridad Social me la pague, que debería ir a ver a alguien de pago. Le digo que no me lo puedo permitir y me contesta que él mismo me puede recetar unos antidepresivos y unos tranquilizantes para los ataques, que me los tengo que poner debajo de la lengua y dejar que se deshagan. Me dice que las pastillas pueden tener efectos secundarios, sobre todo al principio.

Desde que he empezado a tomarme las pastillas mi cabeza funciona de otra forma, no se encalla, no se me va. Hago lo que tengo que hacer en cada momento y no me planteo si es o no es lo que debo hacer, si es o no es la vida que me ha tocado vivir. He dejado de sentir odio hacia mi primo-marido, ahora solo me despierta indiferencia, indiferencia incluso cuando se pone encima mío por las noches, porque con las pastillas todas las sensaciones, los olores, los sabores han pasado a ser menos intensos, se han atenuado, como si fueran de otra. Yo entera, mi cuerpo, mis actos, mis pensamientos, mis pasos por la calle, todo, me parece que es de otra. Desde que las tomo, no paro de hacer cosas, tengo todas las horas del día ocupadas, y así, ocupada, consigo no pensar en nada. Cuando una idea me asedia, simplemente dejo que pase, que se vaya. Cuando no tengo nada que hacer me busco un trabajo, como limpiar a fondo los azulejos de la cocina o vaciar los armarios, fregar de rodillas para limpiar las juntas.

Todo ha ido bien durante algunas semanas pero hoy, hoy no sé qué ha pasado. Hoy tenía fiesta; después de muchos días seguidos trabajando un día sí y el otro día también, del Ayuntamiento al seminario, hoy podía descansar, y pensaba levantarme por la mañana y darme un baño largo, quizá incluso ir a la peluquería. Desde que llevo pañuelo tengo más ganas que nunca de ir a la peluquería. Pero he ido hasta el comedor, todavía con el camisón puesto, y allí me he desplomado en el suelo. Sin perder la conciencia, pero incapaz de tenerme en pie, como si los músculos y los huesos no pudieran sostenerme. Entonces he empezado a gritar como una niña, no, mejor dicho, como una animal atado por las cuatro patas, como el cordero que mataba el tío Hammu, y al oír ese sonido que emitía, ni yo misma lo reconocía, me extrañaba que fuese mío. Por dentro me repito: anda que no eres dramática ni nada, pero ya está hecho, pienso, ya está hecho y no puedes volver atrás, como si fuera algo planificado. Pero no recuerdo haber pensado en ningún instante en nada que se pareciera a eso. Por unos instantes pienso que me muero, porque ninguna parte de mi cuerpo me responde, me obedece, pero después me vuelvo a decir que qué hago, qué hago aquí desplomada en el suelo como si fuera líquida y me hubieran derramado sobre la alfombra. Cuando mi marido me ve así me habla, me dice cosas, pero yo no le contesto. Me río por dentro, me río con todas mis fuerzas al verlo aturdido, asustado, al ver que no sabe qué hacer y que mi madre aún tardará un par de horas en volver. Noto que un hilillo de saliva me resbala por la comisura de los labios —los tengo apretados contra el suelo—, y noto cómo se me mueven los ojos pero tengo las facciones congeladas, y grito aún más fuerte ahora que él está aquí. ¿Qué puedo hacerte?, me dice, ¿qué puedo hacerte?, y no deja de bisbisear suras del Corán, no para de moverse por todo el piso. Finalmente, me toca una mano y me dice que estoy helada, va a buscar una manta y me la echa por encima. Yo sigo gritando por fuera mientras me río por dentro.

Lo decidí en la frontera. Mientras hacía cola rodeada de mendigos, de porteadores, de gendarmes aduaneros apoyados en la pared que no hacen otra cosa que perseguir de vez en cuando a algún habitual del paso fronterizo con una manguera de butano, o de otros policías que lanzaban piedras a los que se habían encaramado en el muro que delimitaba la zona por donde teníamos que pasar. Mientras esperaba allí en medio, cerca de las vallas que habían levantado hacía pocos años, con un pasaporte que no me decía nada pero que estaba a punto de sellar para poder salir del país de mi madre y regresar a uno que no es el mío pero en el que he pasado la mayor parte de mi vida, allí, en medio de toda esa gente que recorría el mismo trayecto que nosotros cada verano, cada vez que el trabajo y el dinero se lo permitían, allí, vestida con una chilaba oscura y un pañuelo oscuro, y más lejos que nunca de quererme, me dije que ya basta, que ya era suficiente, que ya era hora de marcharse. Lo pensé de repente, mientras recordaba ese reciente viaje de vuelta «a casa». Eso es lo que dicen los hablantes de la lengua de mi madre cuando quieren decir «ir de viaje al pueblo de donde son originarios». No les importa si hace diez o veinte años que viven al otro lado, cuando tienen que ir a visitar a su familia, cuando vuelven a su pueblo o a su país, o a lo que sea que representen sus raíces, hablan de «volver a casa». Cuando se acerca el verano, las mujeres se preguntan las unas a las otras: ¿Este año vuelves a casa o no? Yo no sé si en ese viaje volví a casa, pero algo debió de pasar para que de repente, allí de pie, en medio de gente desconocida, decidiera que ya era hora de marcharse. Habíamos decidido hacer ese viaje porque mi mal no lo entiende la medicina de los cristianos, la medicina cristiana, como la llaman. Después de aquel primer episodio de gritos, caídas en medio del comedor, saliva resbalando por mis labios como si estuviese muerta y ojos abiertos que no reaccionan ante lo que me dicen, llegaron más. Mi madre dijo que no podían llevarme al médico porque esos males, si los tratan los médicos, puede que se agraven hasta el punto de no tener cura; que «no regreses», dicen. Ese mal consistía en que yo me iba porque se me llevaba alguna clase de criatura innombrable y había que evitar a toda costa decir su nombre, mencionar siquiera la idea. En realidad querían decir que estaba poseída, *tuajjef*, como les puede pasar a los recién nacidos, a las mujeres que han perdido la virginidad, a los niños recién circuncidados y a las mujeres que acaban de dar a luz, pero también a cualquier persona que haya sido vulnerable por la razón que sea. Pero bajo ningún concepto debíamos ir al médico, y por eso mi madre decidió que fuéramos «a casa» a curarme. Aparte de los ataques, de gritar y de tirarme por el suelo, estaba la cuestión del pelo, que había provocado que finalmente mi madre y mi marido-primo se diesen cuenta de la gravedad de la situación.

Desde que me había puesto el pañuelo me obsesionaba más que nunca con mi pelo. Ya no tenía bastante con alisármelo, con dedicar cada día un buen rato a dejarlo como nos gusta a mi madre y a mí. No podía pensar en nada más. Me lo recogía en una cola cuando estaba en casa, me iba al lavabo a mirármelo en el espejo y, mientras caminaba por la calle, con la cabeza cubierta, me llevaba a menudo la mano debajo del pañuelo para comprobar que aún lo tenía. Soñaba que se me caía todo de golpe, en mechones gruesos que se me quedaban en las manos. Iba a menudo a la peluquería, al principio solo para alisármelo pero poco después para cortarme también las puntas. El pelo siempre me lo había cortado mi madre. Se debe vigilar mucho quién te corta el pelo, si lo hace una mano maléfica o envidiosa es posible que no te vuelva a crecer o incluso que se te caiga. Mi madre tiene buenas manos cortando el pelo, es tan buena que han venido otras chicas para pedirle que se lo corte, todo el mundo dice que si se lo hace ella les crece mucho más fuerte. Yo no puedo notar la diferencia porque desde siempre me lo ha igualado ella. Porque cortármelo, lo que se dice cortármelo, mi madre nunca ha querido, solo igualar las puntas para que se vea recto y solo en 'achura, el único mes de su calendario en que se puede cortar el pelo. Una vez al año y punto. Pero ahora que estoy casada y llevo la cabeza cubierta empecé a pensar: ¿qué más da? ¿Y si yo no quiero llevar el pelo largo? Me tomaba el verso de la cantante que escuchaba ella de joven al pie de la letra: los cabellos que se me mueren, en los bolsillos. A mí el pelo se me moría bajo el pañuelo, y por eso me lo teñí, primero de un rojo panocha que me devolvía una imagen muy grotesca cuando me miraba en el espejo, y después de un rubio ceniza que me hacía parecer una prostituta vieja. Lo que no podía permitirme era que mi madre y mi primo me vieran así, de modo que pasé a ponerme el pañuelo tanto dentro como fuera de casa, procurando que la cabeza no me quedara nunca al descubierto delante de ellos. Por la noche me lo anudaba tan fuerte alrededor de la cabeza, como un turbante, que me notaba la sangre palpitando en las sienes. Hasta que un día mi primo quiso tocarme el pelo mientras estaba debajo de él, no tenía bastante con obligarme a abrir la boca para meterme su lengua de intestino de cordero sino que quería mi pelo esparcido por la almohada. Me negué y forcejeamos un rato hasta que me quitó el pañuelo y me descubrió el rubio de prostituta vieja.

Al día siguiente, mi madre y él ya me esperaban a la vuelta del trabajo; ella ponía cara de no saber quién era yo, como si no pudiese entender qué me pasaba. Solo es pelo, les dije. Pero, como no podía soportar la mirada de disgusto de ella, me fui. Solo es pelo y ni siquiera me lo ve nadie, ¿qué os importa a vosotros?

Días después vi que las raíces me empezaban a crecer negras y rizadas. Volví a la peluquería y dije que lo quería muy corto. ¿Muy corto?, ¿cuánto?, me preguntó la peluquera, que se sorprendía de que apreciera con el pañuelo, me hiciera cosas y después volviera a cubrirme para salir a la calle. Corto hasta que no quede nada de rubio. Me preguntó unas cuantas veces si era realmente lo que quería, que sería un cambio muy radical, pero yo insistí, no quiero pensar más en ello, me decía, no necesito el pelo para nada, ya no. A medida que iba cortando y yo me iba descubriendo desnuda del todo por primera vez en la vida, sin ese preciado ornamento, viéndome la forma de la cabeza, las orejas a la intemperie, la frente más ancha que nunca, unos ojos de loca, la boca temblorosa, no pude evitarlo y empecé a llorar allí mismo. Y no paré. Llegué a casa con la cabeza cubierta, pero cuando mi primo y mi madre me vieron llorando y me preguntaron qué pasaba, no tardé en descubrime. Tras la conmoción que les provocó la visión de mi cabeza prácticamente rapada, decidieron que estaba trastocada y que tenía que marcharme hacia «allí abajo» para curarme.

Como a mí me daba un poco lo mismo, acepté la oferta. Se acercaba Semana Santa y en el Ayuntamiento me daban vacaciones, pero en el seminario era cuando había más trabajo porque venían grupos muy numerosos a hacer estancias en familia. Como todavía estaba contratada por la empresa de trabajo temporal y, de hecho, hasta el miércoles o el jueves no sabría qué días trabajaría ese fin de semana, aunque desde que había comenzado prácticamente me habían llamado todos los fines de semana, fui a avisar directamente a la empresa. Yo misma fui a buscar al gerente para decirle que esa semana no podría ir por motivos familiares, pero no lo encontré y le dejé una nota en la recepción. Con las monjas tenía más confianza, y les conté un poco por encima lo que me había pasado, que había tenido una especie de ataque de nervios y que necesitaba descansar. Mirándome la cabeza dijeron que lo entendían, que era normal porque a mi edad esas cosas pasan, que nos ha pasado a todas, a los veinte o veintiún años todas hemos tenido esos nervios, pero que después se van porque una se acostumbra a ser mayor. Sin embargo, por más comprensivas que las viera, no les conté nada de mi boda, celebrada más por amor a mi madre que por convicción propia, ni tampoco de la vida marital con él, a la que, aunque lo había intentado, no conseguía habituarme, ni de la injusticia de que mi madre y yo lo tuviéramos que mantener mientras él se pasaba todo el día sin hacer nada, ensuciando sin miramientos el piso donde vivíamos, paseando por la ciudad con toda la libertad del mundo, invitando a los amigos a tomar café y jugando a las máquinas tragaperras con lo que mi madre le daba. No les hablé tampoco del pañuelo ni de la angustia que me producía tenerlo que llevar y tener que quitármelo cuando estaba cerca de donde trabajaba. Ellas quizá lo habrían entendido, porque de hecho también iban con la cabeza cubierta, pero no estaba segura, y cuando llegaba al cruce de la calle Gurb con la ronda Camprodon me quitaba la *funara* y me arreglaba el pelo. A ellas quizá no les habría molestado, pero si por casualidad me hubiera encontrado al gerente, él sí que habría puesto una cara rara, y seguro que eso hubiera afectado al buen concepto que tenía de mí, incluso puede que llegase a detectar en mis notas algún acento mal puesto que se le había pasado por alto.

En casa de mis tíos-suegros todo el mundo me trataba con una delicadeza extrema, hasta diría que la mayor parte del tiempo susurraban en vez de hablar. Algunas mujeres trasmitían una impresión de lástima y soltaban un *ah* intraducible que denota pena, compasión y a la vez resignación ante los designios del Señor. Me parecía escuchar *mesquina*, que quiere decir «pobrecita», y también puede querer decir «pobre», pero aquí pretendía ser «pobrecita, qué pena».

Al día siguiente de nuestra llegada vino el *refqi*, que es como llaman a los imanes en la lengua de mi madre. Me hizo tumbar sobre nuestra cama y me tapó hasta las orejas, de modo que él no pudiera verme. Todo mi cuerpo estaba allí a su disposición, pero, al parecer, al estar cubierto de esa forma y ser él un guía respetado por los fieles, no pasaba nada, no había nada indecente en el hecho de que estuviéramos los dos solos en la habitación. Porque ese hombre, al que yo no veía ni vería, cuya voz era ronca y tenía una manera de pronunciar las erres típica de unos pueblos más allá del de mi madre, como si las masticara, pidió a todo el mundo que saliese de la estancia, y a mí de repente me vino el recuerdo del camionero y me entró una especie de excitación incómoda al pensar que estaba allí sola con ese desconocido. Como era una especie de hechicero, de brujo que espantaba a los malos espíritus, también me comenzó a inquietar la idea de que él se diera cuenta de mi mortecina excitación bajo la manta. Pero no dijo nada, comenzó a susurrar la oración con que se inician todos los suras, en nombre de Dios el clemente y el misericordioso. Yo no sabía suficiente árabe como para hacer una traducción tan precisa, pero, cuando había querido saber más sobre la religión de mi madre, había buscado una traducción del Corán a la lengua de nuestro nuevo país y había descubierto que todos los suras empezaban con esas palabras, y deduje que por fuerza tenían que significar *bi ismi Al-lah Arrahman Arrahim.* Claro que sabía lo que quería decir *bi ismi Al-lah,* porque cualquier cosa que se comienza, tanto si es un trabajo como si es a comer o a beber, se hace con un *bi ismi Al-lah,* que es «en nombre de Dios», del mismo modo que cuando se acaba se dice *Lhamdu li-L-lah,* que es «gracias a Dios». Lo que no sabía era qué significaban las palabras *arrahim* y *arrahman,* que me sonaban más a nombres de hombre que a otra cosa. Misericordioso y clemente. Como a la edad en que leí por primera vez el Corán aún no tenía suficiente vocabulario en mi nueva lengua, tuve que buscarlas en el diccionario.

En eso pensaba mientras yo seguía allí quieta, tapada, con un desconocido que susurraba suras y que de repente se quitó un zapato, una babucha, y, cogiéndolo del revés, me lo fue poniendo encima con fuerza, a lo largo de todo el cuerpo. De vez en cuando me ponía la mano izquierda en la frente, pero con la derecha no paraba de darme golpes flojos, como si hiciera el gesto de pegarme con el zapato. Por un momento tuve miedo de que me pegara y recordé la descripción que, de este tipo de rituales, había oído a lo largo de mi vida, algunos incluían cuchillos incandescentes sobre la piel. Pero no, el imán siguió recitando con el zapato sobre mí, y de vez en cuando decía: *L-lah ijzi chitan,* «que Dios ahuyente al demonio». Su letanía y el ritmo constante de su zapato resultaron tranquilizadores, y de repente me di cuenta de que por primera vez en mucho tiempo mis pensamientos se ralentizaban, de que una sensación parecida a la paz me invadía.

Me redactó un escrito con tinta aguada y cálamo, un escrito que yo no podía leer, y lo dobló hasta hacerlo muy pequeño y meterlo en una funda que debería llevar siempre encima, a poder ser atada a la cintura por debajo de la ropa, en contacto con la piel. Se lo explicó a mi tío, esto la protegerá.

Durante los días siguientes, todos me continuaban tratando con condescendencia, con mucho esmero, y no me dejaban hacer ninguna tarea de la casa, pero tampoco que saliera si no era acompañada. El que no parecía demasiado preocupado por mi salud era mi primo-marido, que, desde que habíamos llegado, se había dedicado a llevar la vida que llevaba en el pueblo antes de casarse: ir a la ciudad, quedarse a comer fuera y salir con los amigos de siempre. Mi madre le había dado el dinero necesario para nuestro viaje, y a él no le costaba demasiado gastárselo en lo que le daba la gana. Me lo imaginaba invitando a todo el mundo, como se estila entre los inmigrantes que han triunfado en el extranjero, solo que sin mencionar ni por asomo que su buena situación económica era fruto del trabajo de su mujer y de su suegra. Eso no debía de contarlo, porque hubiera sido una deshonra, pero gastarse nuestro dinero no le suponía ningún problema.

Cuando estábamos en la cola de la frontera me miró un instante y me dijo: Yo te veo mucho mejor, te ha venido bien volver a casa. Él se fue al principio, a comprobar cómo iba la cola , si avanzaba o no, y yo me quedé con sus palabras retumbándome en la cabeza y, de repente, lo vi claro. No podría, por más que lo intentase nunca podría acostumbrarme a vivir con él, a dormir con él cada noche, y de repente vi claro el peligro que me asediaba, el peligro profundo que escondían los ataques de angustia, el malestar intenso de día y de noche, la sensación de verme como una sombra desdibujada que deambulaba arrimada a los edificios, allí mismo supe que ni todo el amor que sentía por mi madre haría que ese peligro se acabara. Ese peligro no era otro que el de la locura y, en un momento de lucidez, todos mis pensamientos se condensaron en una sola idea, una idea clara y nítida: más vale estar sola que loca.

No me fui al volver del viaje. Vi por segunda vez cómo se truncaban mis planes de huida. Esta vez porque el tiempo me había traicionado, porque me había dejado «engañar por el tiempo» o porque las pastillas no funcionaron, no sé, tal vez por una diarrea o porque olvidé tomarme alguna y no pensé en recuperarla al día siguiente.

Te dejo, madre, un hijo en prenda. No puedo dejarte la mar, que aquí, en nuestra ciudad de la Plana, no tenemos; si acaso, podría dejarte el frío y la niebla que se aferran a nuestros pasos durante los nueve meses de invierno y el bochorno insoportable de los tres meses de infierno. Te dejo un hijo, que te hará más compañía.

Eso pienso, en el andén de la estación, de pie, mientras me sujeto aún la parte baja del vientre con la sensación que de dentro volverá a caérseme algo más. Así me sentí al romper aguas unos días atrás, tan solo cuatro o cinco días atrás. Era de madrugada y me había despertado un dolor sordo en las lumbares, una presión intensa y, al ponerme en pie, chof, un río de agua comezó a bajarme por las piernas hasta empapar la alfombra del comedor de mi madre. Desde que supimos que estaba embarazada yo decidí dormir en el comedor, porque de mi marido-primo ya no podía soportar ni el olor, que me hacía vomitar, ni su presencia, que me ponía de un manifiesto mal humor, ya ni siquiera disimulado, sino evidente para cualquiera. Mi madre decía que hay mujeres a las que los antojos les dan por ahí, pero la palabra que ella utiliza, *zinizin*, quiere decir mucho más que tener un capricho u otro cuando se está embarazada. Incluso hay un verbo, y si dicen «esta, *tiniz*», quiere decir que está embarazada y que, además, padece los efectos que provoca el embarazo. Náuseas y vómitos al principio, aunque también cansancio, pereza en las que están acostumbradas a trabajar duro, deseo de alguna comida concreta, que hay que satisfacer siempre que sea posible porque, si no, podría suponer un defecto en el recién nacido, una mancha o algo peor. Entre los posibles efectos de la gestación también pueden estar las preferencias y las aversiones hacia personas. De repente, la mujer solo quiere ver a tal persona o a tal otra porque la reconfortan, incluso hay quien piensa en alguien que está lejos o a quien solo han visto en fotografías, y no es extraño que el recién nacido se parezca más a esos forasteros que a su propio padre. Pero más común es que la embarazada manifieste un rechazo evidente, totalmente inexplicable si no fuera por su estado, hacia alguien cercano, alguien con quien conviva. Cierra los ojos y dice: no puedo verlo, no lo aguanto, no lo soporto. A menudo se da el caso de que ese alguien es el marido con el que ha dormido hasta hace poco, el padre de la criatura. Mujeres más bien obedientes, cumplidoras, incluso sumisas, que no cuestionarían jamás a su marido, se vuelven de repente intolerantes, absolutamente intransigentes con ellos, y no aguantan ni su sola presencia. Cuando yo le dije a mi madre que no podía ni ver a Driss me dijo que era normal, que eran las *zinizin* las que me lo provocaban y que ya se me pasaría.

No se me pasó en todo el embarazo, porque yo antes ya no lo soportaba, y lo único que ocurría era que ahora tenía excusa para no ir a la cama con él. No tuve ni vómitos ni náuseas ni cansancio ni pereza, al contrario, durante estos últimos meses he trabajado más que nunca. Las monjas me dicen: ¿Lo ves? Cuando se tienen los hijos siendo joven todo es más fácil. Eso que haces, esa agilidad que tienes trabajando a pesar de tu estado, no la tendrías si tuvieras treinta o treinta y cinco años. Y la crianza también se te pasará volando, porque las fuerzas de los veinte no son las de los treinta. Seguí yendo al seminario hasta el día antes de romper aguas, pero en cuanto supe que estaba embarazada y que seguiría adelante con la gestación me fui a la empresa de trabajo temporal y les pedí más trabajo. De jueves a lunes iba al seminario, pero aún me quedaban las tardes de los martes y los miércoles. Les dije que, si no me daban más horas, al final tendría que dejarlo y buscarme un trabajo de verdad, porque ya hacía mucho tiempo que trabajaba allí. Me dijeron que en el seminario estaban muy contentos conmigo y que siempre pedían que fuera yo y nadie más, por eso, por eso, les dije, por eso necesito más trabajo entre semana. Me apuntaron en la lista de una empresa de limpieza que me fue llamando para limpiar acabados de obra en pisos y en fábricas. Cuando se me empezó a notar el embarazo me preguntaron que si de verdad quería seguir así, que a ellos les daba igual pero les preocupaba mi estado, y yo les dije que sí, que me encontraba bien y que, cuando no fuera así, lo dejaría porque, en cualquier caso, ellos no tenían que pagarme ninguna baja por maternidad. Mi compañera en el Ayuntamiento me felicitó por mi embarazo, me comentó que ella también los había tenido joven, a media carrera, y que, al principio, había ido de cabeza, pero que después pronto lo tuvo todo hecho. Yo no lo tendré todo hecho, pensaba, porque yo me iré, y lo pensaba con una frialdad que no me había notado antes, como si hubiera dejado de sentir, de imaginar las consecuencias que tendrían mis actos.

Ese era mi estado de ánimo cuando volvimos del viaje en que me curaron. Con gran nitidez, veía el eslogan que yo misma me había metido en la cabeza y que rescataba cada vez que mis propios pensamientos amenazaban con acobardarme, como la primera vez que intenté marcharme: Más vale sola que loca.

Lo tenía todo decidido, no dejaría que pasaran más de un par de días. La vestidora había hecho lo que no había podido hacer yo, se había marchado a vivir a la ciudad, así que no me iría a la aventura, ella se había ofrecido a alojarme hasta que encontrara un sitio para vivir y un trabajo. La llamé y le expliqué mi decisión. ¿Estás segura?, me dijo, ¿estás segura de que eso es lo que quieres hacer? Sí, claro que sí, le contesté, si me quedo más tiempo aquí me volveré loca. Pues vente, vente y ya nos las arreglaremos. Pero, en cuanto colgué el teléfono, me dio un mareo extraño y tuve que volver a casa para tumbarme en el comedor. Mi madre, al verme, enseguida me dijo que yo estaba cambiada. Me volviste cambiada de vuestro viaje, lo sé, te lo noto. ¿En qué?, le pregunté con miedo de que hubiera descubierto mis planes de huida, ¿en qué he cambiado? Estás embarazada. Al oírlo, noté como la sangre me circulaba con fuerza; mi sangre caliente por dentro, mientras la piel se me cubría de un sudor frío en las sienes, en la nuca, en las palmas de las manos, y me subía un mareo más intenso aún. No puedo estarlo, le dije, tomo pastillas. Ya lo verás, yo en eso no fallo nunca. Era cierto, siempre sabía qué mujer estaba embarazada y cuál no sin que le diesen ningún dato. También podía pronosticar qué mujeres no se quedarían nunca preñadas, pero a esas no les decía nada para no desesperarlas, les susurraba un «solo Dios sabe esas cosas». Porque mi madre es tan buena en sus predicciones sobre los embarazos que muchas mujeres la consultan a ella antes de hacerse la prueba con la comadrona. A veces las pastillas no funcionan, me dijo. Pero no pongas esa cara de espanto, un hijo siempre es una bendición, un regalo de Dios.

Fue mi madre quien me esperó en la sala de espera cuando fui a visitar a la comadrona y le pregunté si podía abortar. Me dijo que sí, pero que, en cualquier caso, el padre también debería saberlo, que no era solo asunto mío. ¿Y de quién más, entonces? ¿No se trata de mi cuerpo? ¿No soy yo la que se va a hinchar como un globo y a la que el sexo se le abrirá para que le salga un niño? ¿Quién tardará meses o años en recuperarse? No le dije nada de todo eso porque ella no sabía nada de mi vida y, además, la opción de abortar no era factible: mi madre estaba fuera, en la sala de espera, y ya sabía que estaba embarazada; además, no podría esconderle nada, como siempre.

Las mujeres que acaban de parir deben quedarse una semana en casa, se encuentran en un estado especial que las hace vulnerables a las miradas, y podrían ser fácilmente víctimas de las criaturas ocultas. Yo, hace solo unos días que parí y ya he salido porque, de hecho, hace tiempo que me raptaron y me abdujeron y vivo una vida que no es la mía en una ciudad donde no quiero vivir.

En el hospital fue mi madre la que me acompañó todo el rato y a mí me daba un poco de vergüenza, pero ella sufría tanto por lo que pudiera pasar que no fui capaz de decirle que se fuera. Nuestros últimos días juntas, me iba diciendo, nuestras últimas horas, y no sabía si ella se daba cuenta de lo que yo pensaba o estaba demasiado alterada con lo del parto. Un parto es un momento de peligro, se abren puertas a mundos desconocidos de donde pueden surgir fuerzas de luz y de esperanza, pero también fuerzas maléficas. Un parto es el momento de tocarse tanto el cielo como el infierno, de encontrarse el bien y el mal, y debemos hacer todo lo posible para conjurar el bien y ahuyentar el mal. Pero la inquietud que mostraba el rostro de mi madre tenía más que ver conmigo, con nosotras dos y conmigo convirtiéndome definitivamente en mujer. No era lo mismo ser madre de una chica virgen que de una mujer casada, pero tampoco es lo mismo ser madre de una mujer sin hijos que de una mujer que ya ha parido. La cara que tenía mi madre cuando yo estaba a punto de parir ya la había visto antes y tenía más que ver con lo que mis cambios suponían para ella que con el encuentro de las fuerzas del bien y del mal. Se pone pálida, al borde de las lágrimas, pero no llora porque lo que sucede es bueno, es un cambio positivo. Esa fue la cara que puso cuando descubrió que tenía la regla y el día que me marché para buscar a mi primo. Esta vez, además, el cambio para ella es tangible porque se convierte en abuela.

Lo que no sabe es que será abuela-madre, porque yo me voy y le dejo a ella a mi hijo en prenda. Un hijo varón a quien ha querido poner el nombre del Profeta, un hijo que, durante los meses en que lo he llevado dentro, yo he imaginado que nacería deforme, con las manos hechas un muñón o con algún miembro de menos. No por la proximidad de mi sangre y la de mi primo, que biológicamente podría explicar cualquier tipo de malformación, sino porque este hijo es fruto del amor que siento por mi madre, un hijo incestuoso. Pero, en cuanto las comadronas me lo sacaron de dentro, vi que lo tenía todo, que no le faltaba nada, y enseguida le hicieron las pruebas que confirmaron que era un recién nacido sano y fuerte. Este recién nacido será criado por mi madre, ella siempre había querido tener más hijos, pero nuestras circunstancias no se lo habían permitido, y ahora podrá criarlo como si fuera suyo. Él la llamará *imma* porque ella lo alimentará, lo vestirá, le juntará y le estirará las piernas para darle masajes con aceite de oliva tibio. Puede que decida envolverlo como hacía conmigo, aunque esa costumbre se esté perdiendo. Le enseñará a comer con la derecha, a decir *bismi Al-lah* y *lhamdu li-L-lah,* le hará ilusión ver cómo ya desde pequeño la imita cuando reza. Le dará un manotazo en los dedos si hace algo que no deba hacer, lo amenazará con una zapatilla en la mano, pero difícilmente llegará a pegarle. Lo llamará higadito mío y mollejita mía, y él dormirá con ella.

No sé cómo se dice en la lengua de mi madre la palabra «prenda», no le encuentro correspondencia, pero le dejo este hijo en prenda. Ya no la dejo sola. Cuando tienes hijos pequeños, dice ella siempre, nunca te falta la compañía.

Epílogo

Desde donde ahora me encuentro, podría decir que los primeros tiempos en la gran ciudad no fueron fáciles, o podría decir lo contrario, pero lo cierto es que, de aquella época, guardo pocos recuerdos. Me propuse no mirar atrás y lo conseguí, no volverme nunca, pero no por miedo a convertirme en estatua de sal, sino para no volver a desdibujarme, para no volver a pensar en mi madre ni ponerme en su lugar. Me lo impuse como la más estricta de las normas. Si quería mirar hacia delante y continuar con la vida que finalmente había elegido, no podía permitirme ponerme en el lugar de la mujer a la que había dejado con ese hijo mío que no era mío. Me conocía y sabía a ciencia cierta que abrir esa puerta, la de imaginármela sola, abandonada de nuevo, con todas las chafarderas asediándola por la calle y cuchicheando acerca de la gran desgracia que le había ocurrido, *L-lah istar, L-lah istar*, si me asomaba, aunque fuera por equivocación, a ese camino mental, ya no tendría posibilidad alguna de salvarme, ya no podría hacer otra cosa que regresar al lugar de donde vine. Para no recordar nunca a mi madre, fui prohibiéndome todo lo que pudiese hacerme pensar en ella. Al principio, fue la vestidora la que me acogió en su casa, en una habitación de un piso compartido en la rambla de Poblenou, y a ella le hice una única concesión, porque insistió mucho. Quizá también porque estaba medio mareada por la sangre que aún perdía, esa sangre que me había dejado el hijo que acababa de parir. Insistió mucho, tanto, que al final dije que sí. Ella quería llamar a su madre y que esta fuera a buscar a la mía para decirle que yo estaba bien, que no me buscara porque no quería volver a casa, pero que me encontraba bien. Fue lo último que supe de mi madre. En realidad, ni eso supe, nunca pregunté si se lo habían dicho ni cómo había reaccionado.

No recuerdo apenas nada de esa época porque además me hice el propósito de dejar de registrar con esa exactitud enfermiza todo lo que me pasaba, me esforcé por cambiar esa forma mía de funcionar, de relacionarlo todo con todo hasta que perdía la cabeza. Me recuerdo caminando, eso sí, caminando sin parar por unas calles enormes, tan largas que nunca se acababan, feliz de saberme al fin en la ciudad infinita. Pronto encontré un trabajo de camarera de piso en un hotel del centro, y, en cuanto cobré mi primer sueldo, me busqué una habitación propia, solo mía, para alejarme también de la vestidora que, a pesar de haberme acogido tan bien, no dejaba de recordarme a su madre y, por tanto, a la mía. Además, no quería saber nada de su lengua, y la vestidora tenía esa curiosa costumbre de mezclar los idiomas que nos pertenecen. Me empezó a molestar que dijera *aj tfu* o *iwa* o *tes,* porque en la lengua de aquí esas expresiones no son tan contundentes, no están tan cargadas de significado y no se corresponden con exactitud. Además, la vestidora cocinaba estofados, *charmilas*, hacía *sfeny* cuando podía, y también pastas de almendra y cacahuetes, y yo descubrí que cuando comía cosas cocinadas como las cocinaba mi madre no podía evitar pensar en ella.

Mi habitación propia no era ninguna maravilla, era pequeña y daba a un patio interior estrecho por donde se colaban todos los olores de la escalera, pero allí dentro me sabía en un lugar mío por primera vez en la vida.

Volví a leer, primero con un cierto miedo y después con una voracidad insaciable, cualquier cosa que me apeteciese, sin ningún orden, sin un objetivo. Me planteé volver a estudiar, pero aún no lo he hecho. He ojeado los programas de diferentes carreras, los contenidos, las salidas, etc., y a veces parecía que sí, que me decidía, pero siempre he acabado abandonado la idea. Por ningún motivo en concreto.

El pelo que me creció después de cortármelo corto fue el primer pelo del todo mío que tuve en mi vida. Como mi madre me ponía henna desde que tuve meses, no había sabido nunca de qué color exacto lo tenía. Tampoco sabía cómo era mi rizo natural, si ondulado o más rebelde, porque también desde pequeña mi madre me peinaba a conciencia con aceite de oliva. Cuando me fue creciendo, descubrí unos rizos de esos que llaman rebeldes, indomables, y yo me reía por dentro, porque si algo había sido mi pelo era domable y bien domable. Como ahora lo llevo así, sin tratar de ninguna forma, parezco más marroquí que nunca. Por eso, a veces, alguien que también lo es me reconoce y me habla, bien en árabe, bien en rifeño, pero yo hago como que no lo entiendo para no regresar a mi madre.

Ya ha pasado algún tiempo, un tiempo lo bastante largo como para que pueda empezar a evocar recuerdos sin que me hagan daño. Lo descubrí no hace mucho en un autobús. Había un grupo de mujeres, tres o cuatro, rifeñas, sentadas delante de mí, que hablaban entre ellas. Yo las escuchaba, primero sin reconocer lo que decían, qué lengua hablaban, y después, de repente, no solo me di cuenta de que hablaban la lengua de mi madre sino que descubrí que entendía todo lo que decían. Me sorprendió saber que, a pesar de que no la había utilizado en los últimos años, aún podía descifrar su significado. Estuve un rato allí sentada, atenta a lo que decían esas mujeres y, cada vez que entendía una palabra, cada vez que redescubría una frase, notaba, casi de una manera concreta, física, cómo las cosas, dentro de mi cabeza, se conectaban muy deprisa y no tenía tiempo para seguir el camino de aquellas conexiones, pero me provocaban algo parecido a cosquillas en el cerebro. Me reía, me reía por dentro con una alegría que tenía que contener y deseaba con todas mis fuerzas que aquellas mujeres no bajasen nunca del autobús, que no volvieran a dejarme sin la lengua de mi madre, pensaba que quería poder ser de ellas sin tener que renunciar a nada, poder ser de mi madre sin tener que convertirme en algo diferente de lo que soy. Mi alegría se transformó en un sollozo desconsolado cuando las mujeres bajaron, yo también tuve que bajarme en la parada siguiente, porque mi llanto se iba haciendo cada vez más audible para el resto de pasajeros. Seguí llorando y caminando, caminando y llorando hasta que llegué a mi habitación, y no pude parar de llorar hasta unas horas después. Cuando ya había llorado lo suficiente, decidí escribir. Iba a escribir la historia de mi madre para recuperarla, para recordarla, para hacerle justicia y porque todas esas cosas que yo pensaba que había olvidado, todo lo que tenía que ver con ella, lo llevaba en realidad dentro sin saber dónde. Escribiría su historia, y así podría separarla de la mía. Escribiría su historia, y así podría ser yo sin ser para ella, pero también ser yo sin ser contra ella.

¡Encuentra aquí tu próxima lectura!

Escanea el código con tu teléfono móvil o tableta.
Te invitamos a leer los primeros capítulos
de la mejor selección de obras.